선생님이 만든

좔좔 글읽기

1권 실용글

1권 실용글

초판 1쇄 2016년 3월 7일
초판 8쇄 2024년 3월 4일

지은이 서울경인특수학급교사연구회

펴낸이 방영배
디자인 신정난
펴낸곳 다음생각

주소 경기도 고양시 일산동구 중앙로 1261번길 19 호수광장빌딩 204호
전화 031-903-9107 **팩스** 031-903-9108 **이메일** nt21@hanmail.net
출판등록 2009년 10월 6일 제 2019-000144호
인쇄 온크씨엔피 **종이** 월드페이퍼
ISBN_(전 4권) 978-89-98035-43-3 (64700)

※ 책값은 표지 뒤쪽에 있습니다.
※ 파본은 본사와 구입하신 서점에서 교환해 드립니다.

책이 나오기까지

〈서울경인특수학급교사연구회〉는 통합교육과 특수교육의 여건이 제대로 마련되지 않았던 90년대 초에 서울, 경기, 인천의 초등학교 특수학급 교사들이 모인 이래 지금까지 계속되고 있는 연구 모임입니다. 그동안 함께 모여 공부하고 올바른 교육의 방향에 대해 고민하면서 새로운 통합 프로그램 등을 만들어 보급해 왔습니다. 어떻게 하면 좋은 수업을 할 수 있을지 연구하여 여러 가지 수업 자료를 개발하기도 했습니다. 『선생님이 만든 좔좔 글읽기』도 이런 고민과 연구 과정을 거쳐 나온 책입니다.

읽기를 배우는 데 오랜 시간이 걸리는 아이들의 경우 좋은 교재와 다양한 방법으로 가르쳐야 함에도 마땅한 자료와 프로그램이 없어 고민이 많았습니다. 그래서 연구회 교사들은 2010년부터 국어교육에 관한 연수를 들으며 국어 교육과정을 분석하고 국어의 각 영역별 목표 체계를 정리했습니다. 회원들이 각자의 국어 수업 사례를 발표하며 좋은 국어 수업 방법에 대해 고민한 끝에 2012년에 읽기 이해력 향상을 위한 자료를 만들었습니다. 총 25명의 현장 교사들이 직접 글을 쓰고, 읽기 이해 문제와 관련 활동지를 만들었습니다. 이 읽기 교재를 수업에 활용해 보니 아이들이 흥미 있게 수업에 참여하고 독해력이 향상되는 것을 알 수 있었습니다. 그동안 아이들에게 맞는 자료를 일일이 수정해 만드느라 애썼던 선생님들도 이 자료를 활용해 훨씬 수월하게 활동적인 수업을 할 수 있었다고 합니다.

이 책을 출판하기까지 많은 시간과 노력이 필요했습니다. 그 과정에서 여러 사람들에게 도움을 받았습니다. 덕원예고에서 미술을 전공하는 학생들이 약 1,200컷의 그림을 정성껏 그려 주어 책의 내용이 더욱 풍부해졌습니다. 그리고 도서출판 〈다음생각〉에서 의미 있는 결정을 내려 준 덕분에 이 책이 만들어질 수 있었습니다. 자원봉사로 수고해 준 덕원예고 학생들과 편집 작업에 애써 준 〈다음생각〉 출판사 분들께 깊은 감사를 드립니다.

여러 아이들의 다양한 특성에 맞는 단 하나의 교재란 있을 수 없습니다.
다만 『선생님이 만든 좔좔 글읽기』가 특수학급, 특수학교, 또 다른 교육 현장에서 국어 수업을 좀 더 풍요롭게 할 수 있는 자료가 되면 좋겠습니다. 아이들이 이 책으로 재미있게 공부할 수 있기를 바랍니다.

서울경인특수학급교사연구회

책의 특징

우리나라 아이들은 일찍부터 한글을 배우기 시작하여 초등학교에 들어가기 전에 이미 글을 줄줄 읽는 경우가 많습니다. 이를 반영하듯 초등학교 국어 교과서는 처음에 낱자 학습 및 단어 읽기를 다루다가 난이도가 급격히 높아집니다. 1학년 1학기 말쯤 되면 실제로 10문장 이상의 긴 글을 읽을 수 있어야 수업을 따라갈 수 있습니다. 한글을 깨치지 못한 상태로 입학하는 아이들의 경우 국어 수업에서 어려움을 겪을 수밖에 없습니다. 따라서 이제 막 문장 읽기를 시작하여 글을 유창하게 읽고 이해하는 데까지 많은 시간이 걸리는 학생들의 특성을 고려한 적합한 교재가 필요합니다.

이 교재는 학생의 연령에 맞는 좋은 문장으로 학습자의 속도에 맞게 읽기 이해력을 높일 수 있도록 개발하였습니다. 읽기를 배우는 데 오래 걸리는 아이들도 좋은 글을 읽고, 글에서 정보를 얻고, 글을 읽는 즐거움을 느낄 수 있게 하고자 합니다.

1. 짧은 글을 읽고 내용을 이해할 수 있도록 다양한 활동으로 구성했습니다. 문장 읽기 수준에 있는 학생들은 누구나 이 책으로 독해 공부를 할 수 있습니다. 특수학급이나 특수학교에 재학하는 초·중·고 학생, 읽기에 어려움을 가지고 있는 학습 부진 학생, 한글을 배우기 시작하는 다문화 학생이나 재외교포를 대상으로 하는 한글교실에서도 사용할 수 있습니다.

2. 각 단계는 읽기 이해의 수준별로 분류해 제작하였습니다. 1단계의 목표는 1~2문장을 읽고 이해하는 것이며 마지막 4단계의 목표는 글의 구조를 이해하는 것입니다. 단계에 따라 글의 길이, 문장과 어휘의 난이도, 질문의 난이도가 높아집니다.

3. 다양한 종류의 글을 접하도록 제시하였습니다. 생활글, 실용적 정보를 주는 글, 문학 작품(시, 이야기), 노랫말, 일기, 설명글 등 다양한 글을 통해 읽기 이해력을 높이도록 하였습니다. 초등국어교육과정의 목표와 내용체계를 고려하였고 초등교육과정에서 다루는 주제를 선정하여 교사들이 직접 글을 썼습니다. 그림책이나 시와 같은 문학 작품을 선정한 경우에는 전문을 제시하여 학생들이 문학 작품 전체를 느끼도록 하였습니다. 실생활에서 정보를 주는 글을 바로 읽고 활용할 수 있도록 실용글 읽기를 제시했습니다.

4. 읽기 이해 능력을 중심으로 접근하지만 듣기, 말하기, 쓰기를 함께 배울 수 있도록 다양한 활동을 제시하였습니다. 읽기 이해 능력은 읽기 기술만을 따로 가르치는 것에 의해 향상되지 않으며 다른 영역과 총체적으로 접근하는 것이 바람직하기 때문입니다. '글마중, 신나는 글읽기, 이야기 돋보기, 낱말 창고, 우리말 약속, 뽐내기'라는 꼭지를 두어 활동적인 수업이 되도록 제시하였습니다.

5. 읽기를 천천히 배우는 아이들의 특성을 고려하여 충분히 공부할 수 있도록 단계를 세분화하였습니다. 학생들의 연령과 특성에 맞게 선택하여 제시할 수 있도록 같은 수준의 자료를 다양하게 준비하였습니다.

책의 구성

'글마중'에는 배워야 할 전체 본문을 제시했습니다. 읽기가 서툴러 짧은 글을 읽는 아동이라 하더라도 국어 교육 목표에 따라 문학 작품 등을 부분만 제시하는 것은 바람직하지 않습니다. 아직 술술 읽는 것이 어렵지만 읽기를 재미있게 받아들일 수 있도록 완성도 있는 짧은 글을 그림과 함께 제시하였습니다.

신나는 글읽기

'신나는 글읽기'에서는 본문의 내용을 쉽게 파악할 수 있도록 글에 관련된 여러 활동을 제시하였습니다. 다양한 방법으로 읽기, 그림으로 전체 내용 파악하기, 내용과 관련된 듣기·말하기 활동 등으로 구성되어 있습니다. 이 꼭지를 통해 아이들은 읽기 활동을 재미있게 느낄 것입니다.

이야기 돋보기

'이야기 돋보기'는 문장의 구조를 활용하여 내용을 파악하기 위한 반복적인 연습문제로 구성되어 있습니다. 본문의 문장을 나누어 제시하고 글의 내용에 관한 질문에 답하도록 문제를 제공하였습니다. 단계에 따라 문장의 길이, 문제의 난이도, 단서 수준, 답을 쓰는 방법을 달리하였습니다.

'낱말 창고'에서는 본문에 있는 낱말 중 어려운 낱말을 선정하여 낱말 뜻 익히기나 쓰기 활동, 맞춤법, 어휘 관련 활동을 제시하였습니다. 본문의 낱말과 관련된 여러 어휘를 제시하여 어휘력 향상을 꾀하였습니다.

'뽐내기'는 본문과 관련된 다양한 쓰기와 표현 활동으로 구성하였습니다. 반복적인 쓰기 연습만으로는 아이들 스스로 쓰기 표현을 즐길 수 없습니다. 글마중의 내용과 관련된 쪽지도 쓰고, 그림도 그리고, 만들기도 하면서 쓰기를 즐겁게 느낄 것입니다. 1단계에서 문장 완성하기부터 시작하여 마지막 단계에서는 글의 주제와 종류에 따라 글을 쓰는 방법까지 다루게 됩니다.

'우리말 약속'에서는 아이들이 익혀야 하는 말본지식(문법)을 이해하기 쉽게 제시하고 반복 연습을 통해 익히도록 합니다. 자모음 체계 익히기, 품사와 토씨(조사) 등의 문장구조 익히기, 어순대로 쓰기, 이음말(접속사) 익히기 등 말본지식을 활용할 수 있도록 다양한 활동을 제시합니다.

책의 꼭지 활용 방법

- **〈글마중〉**에 나온 글을 다양한 방법으로 읽게 해 주세요. 적당한 속도로 정확하게 읽을 수 있어야 글의 내용을 이해할 수 있습니다. 문장을 읽기 시작한 아이들의 경우 소리 내어 읽는 것은 매우 중요합니다. 자기가 읽은 것을 들으며 읽은 내용을 이해하기 때문입니다. 눈으로 읽은 것을 바로 이해하는 묵독을 할 수 있는 단계가 되기 전까지는 다양한 방법으로 소리 내어 읽는 활동을 많이 해 보는 것이 좋습니다. 읽기의 유창성과 정확도를 높이면 읽기 이해력도 향상됩니다.
  읽어 주는 것 듣기, 교사가 한 문장이나 한 구절씩 읽으면 따라 읽기, 중요한 단어나 구절만 따로 읽기, 입 맞추어 함께 읽기, 구절 나누어 읽기, 번갈아 읽기, 돌아가며 읽기, 혼자 읽기 등의 방법을 활용하면 좋습니다. 아이가 읽은 것을 녹음해 다시 듣게 하거나 친구와 서로 읽어 주는 방법도 동기 유발에 좋습니다.

- **〈신나는 글읽기〉**와 **〈뽐내기〉**는 표현 활동이므로 학습지만 활용할 것이 아니라 실제 활동을 통해 익히도록 해 주세요. 노래를 함께 부르고, 동작을 만들어 보세요. 주제와 관련하여 말하기, 동작, 음률, 미술, 몸짓, 놀이 등 다양한 표현 활동과 연계하여 활동적인 수업을 해 보세요. 이렇게 통합적으로 접근하면 아이들의 자유로운 표현 능력이 향상되고 흥미 있게 참여할 것입니다. 다양한 활동을 통해 자연스럽게 말하기, 쓰기 표현 능력이 향상될 수 있도록 연계하여 지도할 수 있습니다.

- **〈이야기 돋보기〉**는 이해 목표에 따른 반복 활동으로 연습을 할 수 있게 되어 있습니다. 문장 단서와 그림 단서를 활용하는 방법을 알려 주세요.

지도 교사 도우미

- **〈꼭지별 내용 체계〉**는 주제에 관한 꼭지 구성이 어떻게 되어 있는지 한눈에 볼 수 있도록 표로 정리되어 있습니다. 수업 계획을 세울 때 활용하거나 평가할 때 체크리스트로 사용해도 좋을 것입니다.

- **〈좀 더 활용해 보세요〉**는 각 권에서 다루고 있는 글의 종류를 가르치는 방법이나 참고사항 등을 정리했습니다.

4단계 1권 〈실용글〉	실생활에 도움이 되는 기능적 읽기 지도
4단계 2권 〈일기, 생활글〉	차근차근 시작하는 생활글 쓰기
4단계 3권 〈시, 옛이야기〉	시와 친해지기
4단계 4권 〈설명글, 주장글〉	읽기 이해력을 향상시키기 위한 어휘 지도

- **선생님께 한마디** 에는 교사가 참고할 만한 지도 방법을 학습지 하단에 제시했습니다.

4단계의 목표와 내용 구성

★ 4단계는 글의 종류에 따라 4권의 책으로 엮었습니다.
- 4단계 1권은 주변 생활에서 흔히 볼 수 있는 광고, 안내문, 설명서 등 실용글로 구성했습니다.
- 4단계 2권은 일기와 생활글로 구성했습니다.
- 4단계 3권은 시와 옛이야기로 구성했습니다.
- 4단계 4권은 설명글과 주장글로 구성했습니다.

★ 4단계의 목표는 다음과 같습니다. 단, 제시 방법에 따라 목표를 조정할 수 있습니다.
- 읽기 : 7~10문장 이상의 짧은 글을 읽고 내용을 파악할 수 있다.
  한 문단 이상의 글을 읽고 주요 내용과 글의 구조를 파악할 수 있다.
- 듣기·말하기 : 주제에 맞게 주요 내용을 말하고 자신의 의견을 말할 수 있다.
  바른 어법으로 새로운 어휘를 익혀 바르게 사용할 수 있다.
- 쓰기 : 주제에 맞게 간단한 생활글을 스스로 구성해 쓸 수 있다.
- 문학 : 글을 읽고 주요 정보를 얻고 글쓴이가 말하고자 하는 바를 파악할 수 있다.
  문학작품을 읽으며 즐거움을 느끼고 다양한 작품을 선택해 읽을 수 있다
- 문법 : 철자규칙, 문장부호, 문장호응관계에 맞게 쓸 수 있다.
  문장을 자세히 쓰는 방법을 알고 이음말을 바르게 쓸 수 있다.

전체 구성	1권 <실용글>	2권 <일기, 생활글>	3권 <시, 옛이야기>	4권 <설명글, 주장글>
글마중	글마중에 실려 있는 본문은 7~10문장 이상의 짧은 글로 제시하였습니다. 1권은 실제 흔히 볼 수 있는 안내문, 광고, 매뉴얼에서 정보를 얻는 방법을 배우는 것에 초점을 두었습니다. 2권은 실제 아이들이 쓴 다양한 일기와 생활글을 제시하여 간단한 생활글을 주제에 맞게 쓸 수 있도록 했습니다. 3권은 시와 옛이야기를 통해 문학의 즐거움을 느끼도록 했습니다. 4권은 다양한 주제의 설명글을 제시해 주요 내용과 글의 구조를 파악하도록 했습니다. 또한 짧은 주장글을 통해 주요 의견과 근거를 찾는 방법을 익히도록 했습니다.			
신나는 글읽기	본문의 전체 내용을 표에 채워 써 봄으로써 글의 내용을 파악하도록 했습니다. 글과 관련된 사전 지식, 관련활동을 재미있게 제시했습니다.			
이야기 돋보기	글마중의 본문을 한 문단 이상이나 전체로 제시하고 주요 내용에 관한 질문에 스스로 답하도록 했습니다. 글의 구조를 파악하도록 다양한 이해 전략을 제시했습니다.			
낱말 창고	본문에 나오는 기본 어휘나 기본 어휘와 관련된 새로운 어휘를 확장해 익히도록 했습니다.			
우리말 약속	1권에서는 철자규칙에 맞게 바르게 쓰기를, 2권에서는 문장부호와 문장종류, 높임말 쓰기, 문장호응, 고쳐쓰기를 3권에서는 구와 문장으로 자세히 표현하기(안은 문장 익히기), 4권에서는 이음말과 이어진 문장 쓰기를 배울 수 있도록 했습니다.			
뽐내기	아이들이 쓴 다양하고 재미있는 생활글을 접함으로써 생활글 쓰는 방법을 자연스럽게 배우도록 했습니다. 주제에 대해 쓰고 싶은 내용을 스스로 구성할 수 있도록 쓰기 전 활동을 제시했습니다.			

꼭지별 내용 체계

1권 실용글

주제	목표	글마중	신나는 글읽기	이야기 돋보기	낱말 창고	뽐내기	우리말 약속
가정생활	약 복용법 읽기	사랑약국	약을 바르게 복용하는 방법 찾기	약봉지 내용 파악하기	약이 들어가는 몸속 명칭과 역할	손 씻는 방법 알기 광고 뜻 알고 광고 만들어보기	이중모음이 들어간 글자 바르게 쓰기 -'ㅏ'와 'ㅘ' -'ㅓ'와 'ㅝ' -'ㅔ'와 'ㅐ' -'ㅒ'와 'ㅖ'
	영양 포스터 읽기	식품구성 자전거	식품구성자전거 보고 표 완성하기	포스터 내용 파악하고 답하기	영양소 이름과 기능	급식메뉴로 식품구성자전거 채우기	
	비만 예방 포스터 읽기	비만예방으로 건강한 생활을!	내 키와 몸무게 재고 적기	포스터 내용 파악하고 답하기	식품, 열량, 섭취, 영양소	하루 동안 내가 먹은 음식 적기	
	상품 포장지 읽기	송라면	글마중 읽고 라면 끓이는 순서 알기 알맞은 낱말 고르기	라면 조리방법 읽고 내용 파악하기	건어물, 조리법, 유통기한, 개봉, 유의, 절단면, 직사광선, 원료, 분리수거		
	전자제품 사용 설명서 읽기	전기밥솥 사용 방법	문장 뜻에 맞게 그림에 연결하기	전기밥솥 사용 설명서 읽고 내용 파악하기		전기밥솥으로 밥을 해 보고 느낀 점 쓰기	
학교생활	학교폭력 예방 포스터 읽기	폭력 없는 행복한 학교	학교폭력 예방을 위한 약속 적기	포스터 내용 파악하고 답하기		학교폭력 설문지에 답하기	이중모음이 들어간 글자 바르게 쓰기 -'ㅣ'와 'ㅟ' 와 'ㅢ' -'ㅚ'와 'ㅙ' 와 'ㅞ'
	과학실 안내문 읽기	실험실 안전수칙	안전수칙 적어보기	안내문 내용 파악하고 답하기	실험기구 명칭	안전수칙 적어보기	
	보드게임 설명서 읽기	텀블링 몽키	게임설명 읽고 맞는 것 찾기	보드게임설명서 내용 파악하고 답하기		보드게임 소개하기	
	윷놀이 설명서 읽기	윷놀이	'윷놀이' 동요 부르기	윷놀이 설명서 내용 파악하고 답하기		윷놀이를 해보고 느낌 쓰기	

주제	목표	글마중	신나는 글읽기	이야기 돋보기	낱말 창고	뽐내기	우리말 약속
지역 사회 생활	도서관 안내문 읽기	푸른꿈 도서관 안내	안내문 다시 써 보기	안내문 내용 파악하고 답하기	반납, 대출, 사서, 연체, 분실, 연장, 열람, 휴관, 도서반납함	우리학교 도서관 안내문 쓰기	읽을 때와 쓸 때가 달라요. - 연음법칙
	광고 전단지 읽기	음악줄넘기 특강 안내	광고 내용 파악해 표 채우기	광고 내용 파악하고 답하기 표 채우기		광고지 붙이고 내용 정리하기 광고지 만들기	
	놀이터 안내문 읽기	공원 놀이기구 이용 안전수칙		놀이기구 안전수칙 내용 파악하고 답하기	안내표지 뜻 파악하고 쓰기	안내표지 찍어 붙이고 뜻 적기 안내 표지 만들기	
	지하철 안내문 읽기	지하철 이용예절	지하철 이용 예절에 맞는 것 찾아 ○ 하기	지하철 이용예절 내용 파악하고 답하기		그림을 보고 상황에 맞는 지하철 이용 예절 적어보기	
여가 생활	영화관 안내문 읽기	영화관람 시간표 관람 시 유의사항	낱말퍼즐 풀기 알맞은 낱말 찾기	영화상영안내 내용 파악하기 영화 관람 시 유의사항 읽고 내용 파악하기	상영관, 반입, 정시, 제한, 입장, 퇴장, 종료, 관람가, 동의, 고객, 미만, 초과		
	박물관 안내문 읽기	국립중앙 박물관	낱말퍼즐 풀기	박물관 안내문 읽고 내용 파악하기	상설, 특별, 야간, 주간, 유료, 무료, 국립, 공립, 사립	홈페이지 활용하기	읽을 때와 쓸 때가 달라요. - 된소리 - 거센소리 같은 소리 다른 뜻
	관광지 안내문 읽기	설악산 국립공원	명소 안내문과 탐방 안내문 읽기	관광 안내문 읽고 내용 파악하기		탐방 계획 세우기	
	입장료 안내문 읽기	설악산 입장료 안내	낱말 뜻 알기	입장료 안내문 읽고 내용 파악하기	편도, 왕복 대인, 소인		

좀 더 활용해 보세요

실생활에 도움이 되는 기능적 읽기 지도

기능적 읽기(functional reading)는 실생활에 필요한 것을 중심으로 한 읽기 지도법입니다. 거리의 표지판, 신문, 광고, 지하철 노선도, 구입해야 하는 상품명 읽기가 이에 해당합니다(특수교육학용어사전, 2009). 일상생활에서 여러 정보를 읽고 이해하는 것은 매우 중요합니다. 물건을 선택하고 살 때, 안내문과 설명서를 읽고 따라야 할 때, 거리에서 길을 찾을 때, 음식점을 이용하고 주문할 때 다양한 읽을거리를 읽고 내용을 파악해야 일상생활을 스스로 할 수 있기 때문입니다.

〈4단계 1권 실용글〉 부분에서는 일상생활에서 읽기를 잘 활용할 수 있도록 아이들의 생활 연령과 지역사회 환경을 고려하여 실제 생활에서 자주 접하는 글을 모아 제시했습니다. 약 봉지, 포스터, 사용 설명서, 광고 전단지, 영화관과 박물관 이용 안내문 등 실생활에서 쉽게 접하는 내용을 다루고 있습니다. 이런 글을 읽으며 아이들은 일상생활에서 스스로 문제를 해결하고 독립적으로 생활하는 법을 배우게 될 것입니다.

① 기능적 읽기를 할 때는 학생의 환경과 우선적인 필요를 고려하세요.

기능적 읽기를 가르치는 이유는 학생들이 생활에서 여러 문제를 스스로 해결하도록 하기 위해서입니다. 학생의 독립성을 증가시키기 위한 것이므로 기능적 읽기의 주제와 자료를 선정할 때는 학생이 현재와 미래에 자주 접하는 환경을 고려해야 합니다. 학교, 동네, 이용하는 시설, 주로 하는 활동 등 학생이 현재 접하는 환경에서 우선 필요한 기술과 자료를 선정하여 가르치는 것이 중요합니다. 예를 들어, 초등학교에 다니는 학생이라면 학교의 여러 팻말과 지시문과 안내문, 자기 동네의 상점 이름과 안내문, 간단한 음식을 시켜 먹을 수 있는 전단지, 놀이 매뉴얼 등을 읽기 자료로 선정할 수 있습니다.

② 실제로 경험하며 배우게 해 주세요.

어떤 학생은 소리 내어 글을 읽을 수 있는데도 간단한 안내문이나 표지판 같이 생활과 밀접한 글의 의미를 잘 파악하지 못합니다. 이는 학생들의 경험 수준과 관련되어 있는 경우가 많습니다. 생활에서 안내문이나 표지판을 직접 활용해 보지 않았기 때문에 간단한 안내, 설명, 표식이 나타내는 실제 의미를 파악하지 못합니다. 실용글은 생활에서 문제를 해결하는데 도움이 되는 글이므로 실제 경험을 통해 몸으로 배우는 것이 가장 중요합니다. 읽기를 통해 직면한 문제를 해결함으로써 학생들에게 읽기의 필요성을 느끼게 하고, 이런 문제 해결 과정 자체가 자연스러운 강화로 작용할 수 있습니다. 예를 들어 컵라면 조리법을 보고 직접 조리해 먹어본다면 아이들은 읽기를 훨씬 재미있게 배울 수 있을 것입니다. 실용글은 읽기에 대한 동기를 유발할 수 있는 글감이 될 수 있습니다. 그러므로 실용글을 가르칠 때에는 실제 읽기가 필요한 생활 장면에서 직접 활동하는 경험을 함께 제공하는 것이 가장 효과적입니다.

③ 실제 자료로 읽기를 가르치세요.

실용글을 배울 때는 실제 자료로 읽기를 배우는 것이 중요합니다. 실제 읽기 자료에 사용되는 어휘, 배치된 글의 형태, 그림이나 기호를 이해하는 것이 필요하기 때문입니다. 실제 생활에서 실용글을 많이 접하고 경험한 학생은 글자를 잘 읽지 못해도 글자와 함께 있는 그림이나 기호 등의 단서를 잘 활용해 실생활에서 문제를 해결하는 경우가 종종 있습니다. 생활 속에 접하게 되는 많은 실용글은 단순하게 글이 나타내는 의미 뿐 아니라 그림, 숫자, 위치 등 다양한 시각적 정보를 해석하고 활용해야 합니다. 그러므로 학생들이 학교, 가정, 지역사회에서 자주 접하게 되는 실제 자료를 활용하여 지도하는 것이 효과적입니다. 도서관 안내문 읽기를 한다면 학생이 자주 이용하는 도서관의 안내문을 활용하는 것이 가장 바람직합니다. 또한 짜장면 주문하기를 가르치려고 한다면 자주 시켜먹는 중국집 광고 전단지를 이용하는 것이 효과적입니다.

④ 다양한 자료를 활용해 주세요.

실용글을 효과적으로 지도하기 위해서는 실제 자료를 다양하게 선택하여 활용해야 합니다. 실용글은 알리고자 하는 내용을 축약하여 제시하기 때문에 많은 기호, 시각적/ 위치적 정보를 모두 포함하고 있습니다. 그래서 단순한 글 읽기보다 좀 더 통합적인 정보 처리가 필요합니다. 도서관 안내문 읽기를 하는 경우, 학생이 자주 가는 학교 도서관과 마을 도서관의 안내문을 모두 활용하는 것이 가장 바람직합니다. 동일한 도서관 안내문이라 하더라도 안내 순서, 정보 제시 방법이나 위치 등에 차이가 있을 수 있기 때문에 다양한 자료를 경험할 수 있도록 지도하여야 합니다.

⑤ 그림이나 기호 등의 단서를 최대한 활용해 주세요.

읽기를 할 때 그림, 사진, 기호, 픽토그램, 상징, 로고 등의 단서를 잘 활용하는 것은 실용문에 대한 이해력을 높이는 데 많은 도움이 됩니다. 이런 상징은 많은 메시지를 담고 있어 상징만 이해하면 일일이 글을 읽지 않아도 문제를 해결할 수 있는 경우가 많습니다. 따라서 기능적 읽기를 가르칠 때는 상징을 함께 가르치는 것이 필요합니다. 예를 들어 지하철의 화살표를 보고 그 방향으로 이동하는 것이 아주 단순하고 쉬운 행동 같지만 실제 상황에서 어려움을 보이며 방향을 못 찾아가는 아이들이 있습니다. 그러므로 기호의 의미를 실제 체험해 보거나 직접 몸으로 움직여 보고 행동의 결과를 정확하게 알 수 있도록 지도하는 것이 필요합니다.

〈참고문헌〉 국립특수교육원(2009). 특수교육학 용어사전. 하우기획출판.

마음대로
그려 보세요

선생님이 만든 좔좔 글읽기
1권
실용글
사랑약국
사랑약국

실용글

1장

가정 생활

2장

학교 생활

3장

지역사회 생활

4장

여가 생활

글마중 약 복용법 읽기

윤지원 님 (남 · 여, 11 세)

복용법	1 일 3 회 2 일분
	매 식후 30 분 복용
	매 8 시간마다 1 포 복용

주의사항	① 약을 받으실 때는 이름을 확인하여 주십시오. ② 약은 복용법에 따라 드십시오. ③ 어린이 손이 닿지 않는 장소에 보관하십시오. ④ 서늘한 장소에 보관하십시오.

2016 년 10 월 26 일

서울시 은평구 진관 4로 78 사랑빌딩 1층
☎(02) 753 - 6784

월 일 요일 확인

신나는 글읽기

약 복용법을 읽고 아래 표에서 맞는 것에 ○ 하세요.

약 봉투 지시 사항을 잘 읽는다.
약을 먹기 전에 손을 깨끗이 씻는다.
약 먹는 시간을 잘 지킨다.
한꺼번에 2회분을 먹으면 안 된다.
약을 먹을 때 미지근한 물과 먹는다. 우유나 주스는 안 된다.
먹던 약을 내 맘대로 끊거나 바꾸면 안 된다.

많이 아플 때 2회분의 약을 먹는다.	
친구가 아플 때 친구에게 내 약을 나눠준다.	
약은 미지근한 물과 함께 먹는다.	
다치지 않았는데도 예쁘게 밴드를 붙인다.	
약을 사용하기 전에 손을 깨끗이 씻는다.	
상처가 났을 때 소독하고 약을 바른다.	
물이 없으면 주스나 콜라와 함께 약을 먹는다.	
시간을 잘 지켜서 약을 먹는다.	
약을 버릴 땐 약국에 있는 폐의약품 수거함에 버린다.	

※출처 | 튼튼이는 약박사 - 어린이 의약품 안전사용 교육교재, 서울특별시

이야기 돋보기

월 일 요일 확인

다음 글을 읽고 알맞은 답을 고르거나 쓰세요.

사랑약국

윤지원 님 (남 · 여, 11 세)

복용법	1일 3회 2일분
	매 식후 30 분 복용
	매 8 시간마다 1 포 복용

1. 누구 약인가요? ____________

2. 이 약은 며칠 동안 먹을 수 있는 양인가요? ______ 일

3. 이 약을 언제 먹어야 할까요? .... (   )

① 식사하기 30분 전에
② 식사하고 30분 후에
③ 먹고 싶을 때
④ 아침에 일어나서

4. 이 약은 ______ 시간마다 ______ 봉지씩 먹어야 합니다.

5. 어디에서 약을 지었나요? ____________

6. 처음 약국에서 약을 받았을 때 약이 모두 몇 포였을까요?

______ 포

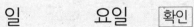

월 일 요일 확인

이야기 돋보기

다음 글을 읽고 알맞은 답을 고르거나 쓰세요.

주의사항	① 약을 받으실 때는 이름을 확인하여 주십시오. ② 약은 복용법에 따라 드십시오. ③ 어린이 손이 닿지 않는 장소에 보관하십시오. ④ 서늘한 장소에 보관하십시오.

1. 약을 받을 때는 무엇을 꼭 확인해야 할까요? ________

2. 약은 어떻게 먹어야 할까요? ( )

① 내 마음대로　② 복용법에 따라서
③ 아플 때마다　④ 아침마다

3. 어린이 손이 닿지 않는 장소에 약을 보관해야 하는 이유는 무엇일까요? ( )

① 어린이들이 함부로 약을 먹으면 안 되니까
② 어른들만 약을 먹어야 하니까
③ 어린이들이 약을 좋아해서
④ 약을 잃어버릴까봐

4. 약을 보관하는 장소로 알맞은 곳은 어디일까요? ( )

① 햇빛이 비치는 곳　② 책상 서랍
③ 서늘한 곳의 약 상자　④ 전자레인지

낱말 창고

월 일 요일 확인

'복용'의 뜻을 알아보고, 빈칸에 알맞은 답을 쓰세요.

복용 → 약을 먹음

복용법 → 약을 먹는 방법

☞ 매 식후 30분 복용

⇨ 밥을 먹은 다음 ________에 약을 먹어요.

☞ 매 8시간마다 1포 복용

⇨ 8시간 마다 1포씩 약을 ________________

'포'의 뜻을 알아보고, 빈칸에 알맞은 답을 쓰세요.

포 → 종이로 만든 봉지

약을 한 번에 먹을 만큼 종이 봉지에 담아둔 것

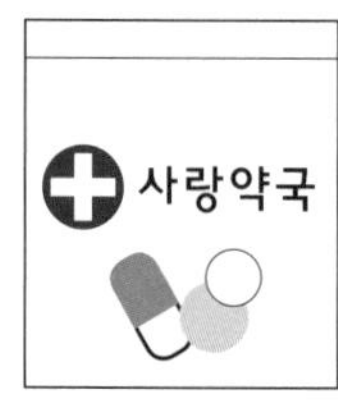

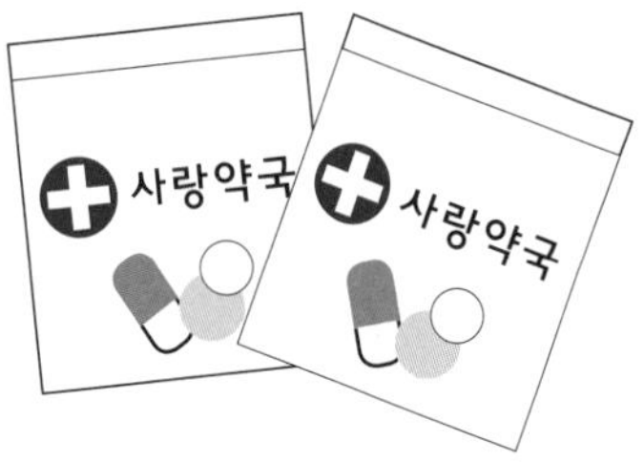

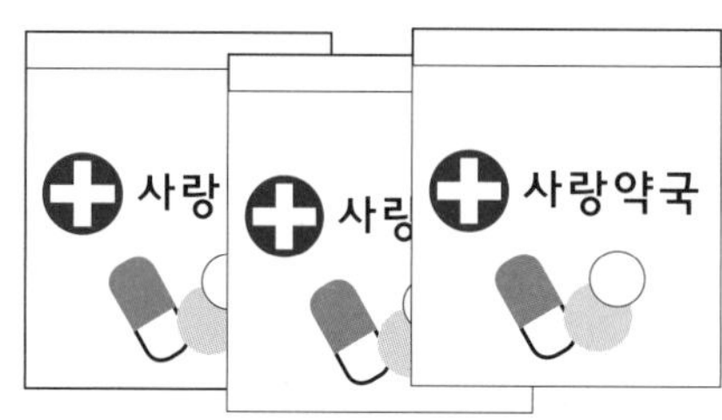

☞ 약 1포 ☞ 약 2_____ ☞ 약 ________

월 일 요일 확인

뽐내기

약이 몸에 들어갈 때 지나는 신체 부위 이름과 역할을 연결하세요.

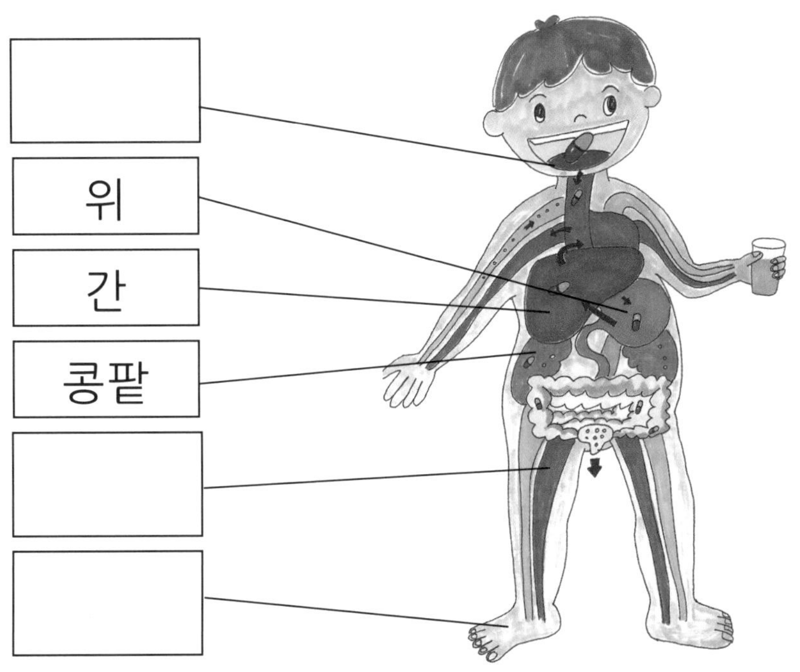

입 •	• 약은 위장에서 녹아 혈관으로 들어가요.
위 •	• 영양분과 약이 우리 몸속에서 다니는 길이에요.
간 •	• 약이 우리 몸에 안전한지 간이 검사해요.
혈관 •	• 몸에 붙이거나 연고를 바르면 약은 피부를 통해 들어가요.
콩팥 •	• 할 일을 다 한 약은 오줌으로 내보내요.
피부 •	• 약은 물과 함께 먹어요.

※출처 | 튼튼이는 약박사 - 어린이 의약품 안전사용 교육교재, 서울특별시

뽐내기

월 일 요일 확인

손을 깨끗이 씻지 않으면 식중독, 배탈, 유행성 눈병, 감기 같은 질병에 걸리기 쉽습니다. 손을 바르게 씻는 방법을 알아봅시다.

올바른 손씻기 6단계

1
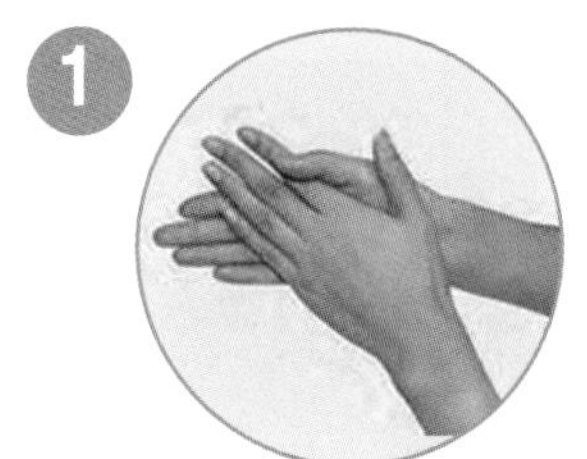
손바닥과 손바닥을 마주대고 문질러 줍니다.

2
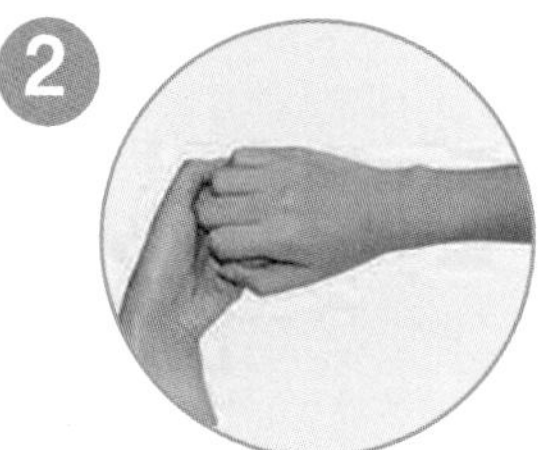
손가락을 마주 잡고 문질러 줍니다.

3
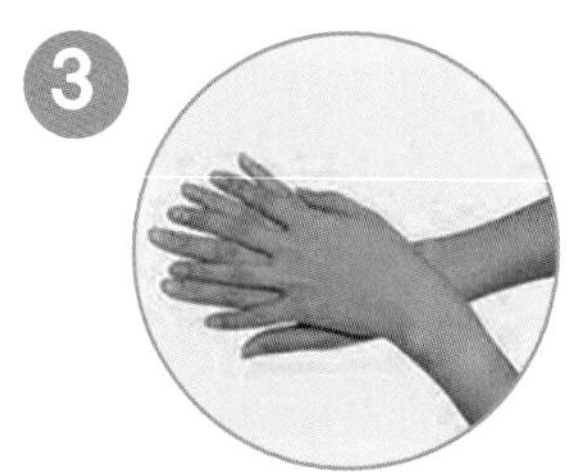
손등과 손바닥을 마주대고 문질러 줍니다.

4
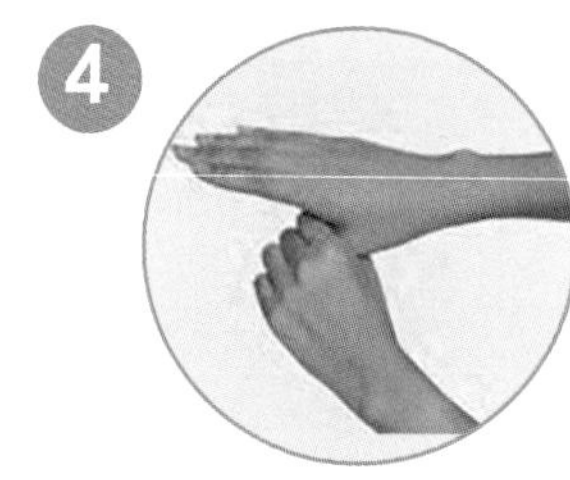
엄지손가락을 다른 편 손바닥으로 돌려주면서 문질러 줍니다.

5
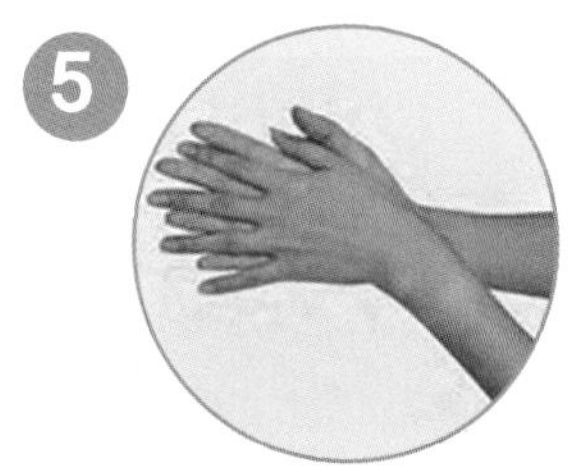
손바닥을 마주대고 손깍지를 끼고 문질러 줍니다.

6
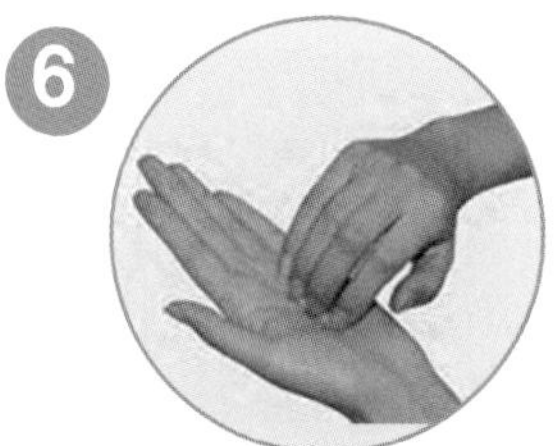
손가락을 반대편 손바닥에 놓고 문지르며 손톱 밑을 깨끗하게 합니다.

※출처 | 범국민손씻기운동본부

위 방법에 따라 손을 깨끗하게 씻어 보세요!

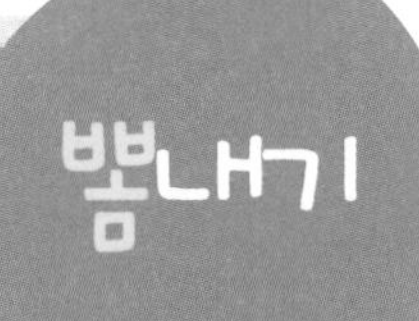

월 일 요일 확인

광고를 보고 아래 빈칸에 알맞은 답을 쓰세요.

세상에서
가장 안 아픈
예방주사
손을 깨끗이 씻는 것만으로도 질병의 70%가 예방됩니다.
감기, 눈병, 식중독 등 전염병의 70%는 손을 통해 전염됩니다.
공익광고협의회
한국방송광고공사

※출처 | 공익광고협의회 한국방송광고공사

1. '세상에서 가장 안 아픈 예방주사'는 무슨 뜻일까요?

(손을 씻으면 ________________________________)

2. 누가 만든 광고인가요? ______________________________

광고에는 그림, 사진, 글이 들어갑니다. 글마중을 다시 읽고 약을 바르게 복용하는 방법에 대한 광고를 만드세요.

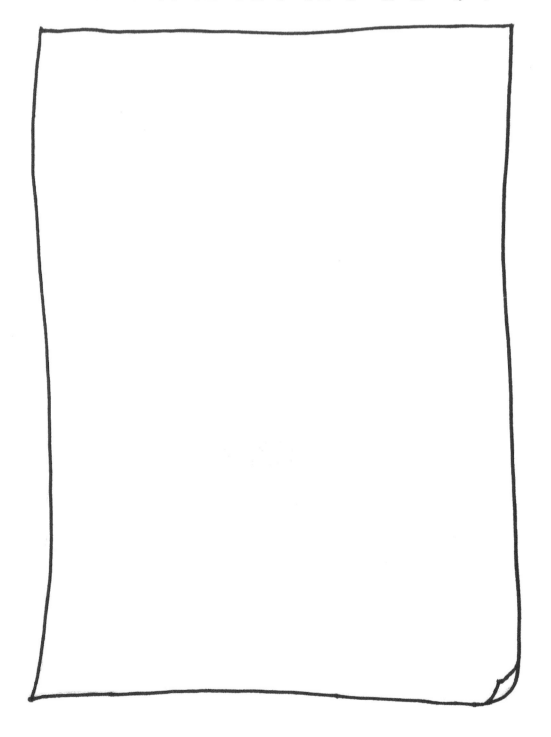

영양 포스터 읽기 글마중

건강한 생활을 위한 실천,

식품구성자전거

한국영양학회

▶ **곡류: 하루 3~4회 정도**

활동하는 데 필요한 에너지를 줘요. '힘이 불끈불끈'

▶ **고기 · 생선 · 달걀 · 콩류: 하루 3~4회 정도**

근육을 만들어줘요. '몸이 튼튼'

▶ **채소류: 매끼 1~2가지 이상, 나물이나 생채소**

섬유소가 많아 변비 예방에 좋아요. '날씬한 몸매'

▶ **과일류: 매일 1~2개**

비타민이 많아 피부가 예뻐져요. '피부가 반짝'

▶ **우유 · 유제품류: 매일 1~2회**

뼈와 치아를 튼튼하게 해줘요. '뼈 튼튼, 치아 튼튼'

▶ **유지 · 당류: 양념으로 적당량**

체온을 유지해줘요. '많이 먹으면 비만 유발'

※**출처** | 〈한국인 영양섭취기준 개정판(2010), 사)한국영양학회, 군산시 어린이급식관리지원센터

월 일 요일 확인

신나는 글읽기

'식품구성자전거'는 건강한 생활을 위해 하루에 먹어야 하는 6가지 식품군을 나타낸 것입니다. 각 식품군을 얼마나 먹어야 하는지를 자전거 바퀴 넓이에 따라 표현했습니다. 식품구성자전거를 보고 다음 표를 완성하세요. 그리고 주요 영양소와 해당 식품을 잘 살펴보세요.

식품군	주요 영양소	해당 식품
곡류	탄수화물	밥, 국수, 빵, 떡, 시리얼, 감자, 고구마 등
	단백질	쇠고기, 닭고기, 고등어, 오징어, 달걀, 두부 등
	비타민, 무기질	당근, 콩나물, 시금치, 버섯, 배추, 오이, 호박, 고추 등
	비타민, 무기질	사과, 포도, 참외, 귤, 수박, 딸기, 오렌지주스 등
	칼슘	우유, 치즈, 요구르트, 아이스크림 등
	지방	식용유, 버터, 마요네즈, 설탕 등

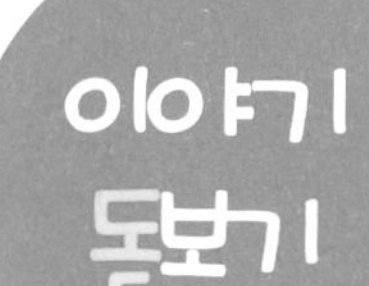

월 일 요일 확인

다음 그림을 보고 알맞은 답을 고르거나 쓰세요.

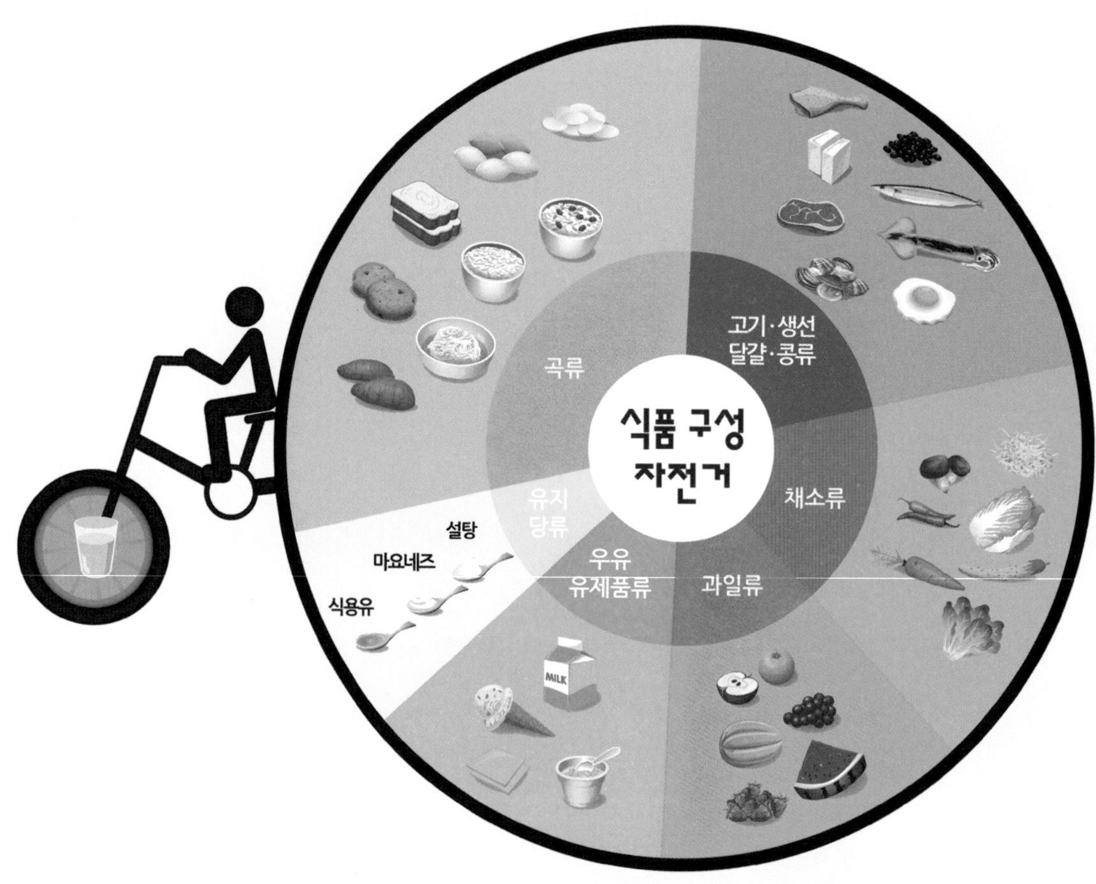

1. 고기, 두부, 달걀, 오징어는 어떤 식품군인가요?

____

2. 채소류에 해당하는 식품을 적어 보세요.

____

월 일 요일 확인

이야기 돋보기

3. 식품구성자전거 칸 넓이 비율대로 먹는 식사가 균형 잡힌 식사입니다. 하루 중 가장 많이 먹어야 하는 식품군은 무엇인가요? ( )

① 곡류 ② 고기 · 생선 · 달걀 · 콩류
③ 채소류 ④ 유지, 당류

4. 다음 중 가장 적게 먹어야 하는 식품은 무엇인가요? …… ( )

① 밥, 국수, 떡 ② 생선, 고기, 두부
③ 과일 ④ 식용유, 마요네즈, 설탕

5. 식품구성자전거의 앞바퀴에 물컵이 그려진 이유는 무엇일까요? …… ( )

① 사람들이 물 마시는 것을 좋아하니까
② 자전거를 탈 때 목이 마르니까
③ 자전거를 타면 땀이 나니까
④ 건강을 위해 물을 충분히 먹어야 한다는 것을 알리려고

6. 건강한 생활을 위한 식생활 방법을 알리는 데 자전거 그림을 이용한 이유는 무엇일까요? …… ( )

① 건강한 생활을 위해서는 운동이 필요하다는 것을 강조하기 위해
② 자전거 그림이 재미있어서
③ 자전거에 음식을 그리기 편해서
④ 자전거는 바퀴가 두 개 있어서

월 일 요일 확인

다음 글을 읽고 알맞은 답을 고르거나 쓰세요.

▶ **곡류: 하루 3~4회 정도**
활동하는 데 필요한 에너지를 줘요. '힘이 불끈불끈'

▶ **고기 · 생선 · 달걀 · 콩류: 하루 3~4회 정도**
근육을 만들어줘요. '몸이 튼튼'

▶ **채소류: 매끼 1~2가지 이상, 나물이나 생채소**
섬유소가 많아 변비 예방에 좋아요. '날씬한 몸매'

▶ **과일류: 매일 1~2개**
비타민이 많아 피부가 예뻐져요. '피부가 반짝'

▶ **우유 · 유제품류: 매일 1~2회**
뼈와 치아를 튼튼하게 해줘요. '뼈 튼튼, 치아 튼튼'

▶ **유지 · 당류: 양념으로 적당량**
체온을 유지해줘요. '많이 먹으면 비만 유발'

1. 우리가 활동하는 데 필요한 에너지를 주는 식품군은 무엇인가요?

____

2. 고기·생선·달걀·콩류는 하루에 어느 정도 먹으면 좋을까요? (　　　)

① 하루 1~2회 정도　　② 하루 3~4회 정도
③ 양념으로 적당히　　④ 먹고 싶은 만큼 많이

3. 변비가 있는 어린이는 무엇을 많이 먹으면 좋을까요? ( )

① 곡류　② 고기 · 생선 · 달걀 · 콩류
③ 채소류　④ 유지, 당류

4. 우유나 유제품을 매일 1~2회 먹어야 하는 이유는 무엇인가요?

____

5. 다음을 어울리게 연결하세요.

곡류 •	• 비타민이 많아 피부가 예뻐져요.
고기·생선·달걀·콩류 •	• 체온을 유지해줘요.
채소류 •	• 근육을 만들어줘요.
과일류 •	• 활동하는 데 필요한 에너지를 줘요.
우유·유제품류 •	• 섬유소가 많아 변비 예방에 좋아요.
유지·당류 •	• 뼈와 치아를 튼튼하게 해줘요.

6. 바르지 못한 식생활 습관을 가진 어린이는 누구인가요? ( )

① 은지: 매끼 나물이나 채소, 김치를 먹는다.
② 영아: 설탕, 초콜릿은 조금만 먹는다.
③ 현채: 매일 과일을 1~2개씩 먹는다.
④ 우현: 살을 빼려고 밥 대신 과일만 먹는다.

낱말 창고

월 일 요일 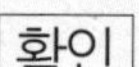

영양소의 기능을 알아보고, 빈칸에 알맞은 답을 쓰세요.

영양소	기능
탄수화물	활동하는 데 필요한 에너지를 만들어요.
지방	많은 에너지를 만들어요. 많이 먹으면 살이 쪄요. 체온을 조절해요.
단백질	근육을 튼튼하게 만들어요. 병에 잘 걸리지 않게 해요. 에너지를 만들어요.
무기질	뼈와 이, 혈액을 만들어요. 몸의 기능을 조절해요.
비타민	몸의 기능을 조절해요. 피부를 곱게 해요.

1. 고기와 두부에 많은 ________________은 튼튼한 근육을 만들어요.

2. 채소와 과일에 많은 ________________을 섭취해야 피부가 고와져요.

3. ________________은 체온을 조절해 주지만, 많이 먹으면 살이 쪄요.

4. ________________은 활동하는 데 필요한 에너지를 만들기 때문에, 매끼 밥을 든든히 먹어야 해요.

 **오늘의 급식 메뉴를 써 보고, 식품구성자전거를 채워 보세요.**

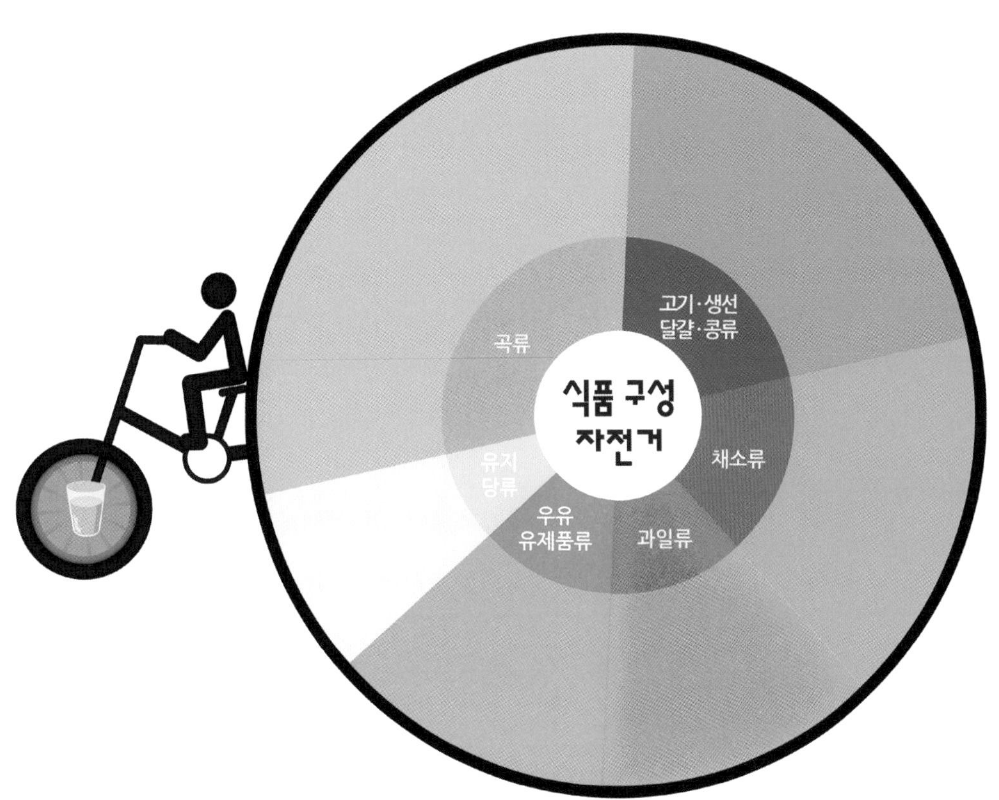

1. 식품구성자전거의 여섯 칸이 모두 채워져 있나요?

2. 균형 잡힌 식사가 되려면 어떤 식품군의 음식을 더 먹어야 할까요?

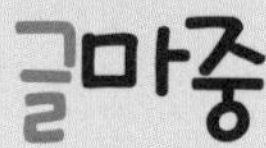

비만 예방 포스터 읽기

♥ 표준 성장표

성별	남자		여자	
연령	신장(cm)	체중(kg)	신장(cm)	체중(kg)
8세	123	24	122	23
9세	129	27	127	26
10세	134	31	133	30
11세	139	35	139	34
12세	145	40	146	39
13세	151	45	152	43
14세	159	50	156	47
15세	165	55	158	50

우리는 음식에서 신체 활동에 필요한 에너지를 얻습니다. 하지만 신체 활동에 사용하고 남은 에너지는 지방으로 변해 살이 찌게 됩니다.

비만을 예방하려면,

1. 음식 섭취와 신체 활동이 균형을 이루어야 합니다.
   열량이 높은 음식을 많이 먹으면 운동도 많이 해야 합니다.
2. 영양소의 균형이 깨지지 않도록 골고루 먹어야 합니다.
3. 식사를 거르는 것은 바람직하지 않습니다.
   하루 세 끼 규칙적으로 먹습니다.
4. 무심코 먹은 간식은 지나친 열량 섭취가 되기 쉽습니다.
   간식은 정해진 시간에 조금씩 먹습니다.

월 일 요일 확인

같은 뜻을 가진 낱말끼리 연결하세요.

연령 •		• 키
신장 •		• 몸무게
체중 •		• 나이

'표준 성장표'란 우리나라 어린이들의 평균 키와 몸무게를 나타내는 표입니다. 내 나이와 성별에 맞는 표준 키와 몸무게를 글마중의 표에서 찾아 노란색으로 칠하고, 다음을 완성하세요.

▶ 나는 ________ 세 (남자 / 여자) 입니다.

	신장(cm)	체중(kg)
표준 성장표		
나		

▶ 내 키는 (표준과 같고 / 표준보다 크고 / 표준보다 작고), 내 몸무게는 (표준과 같습니다 / 표준보다 많이 나갑니다 / 표준보다 적게 나갑니다).

이야기 돋보기

월　　일　　요일 확인

다음 글을 읽고 알맞은 답을 고르거나 쓰세요.

우리는 음식에서 신체 활동에 필요한 에너지를 얻습니다. 하지만 신체 활동에 사용하고 남은 에너지는 지방으로 변해 살이 찌게 됩니다.

비만을 예방하려면,

1. 음식 섭취와 신체 활동이 균형을 이루어야 합니다.
   열량이 높은 음식을 많이 먹으면 운동도 많이 해야 합니다.
2. 영양소의 균형이 깨지지 않도록 골고루 먹어야 합니다.
3. 식사를 거르는 것은 바람직하지 않습니다.
   하루 세 끼 규칙적으로 먹습니다.
4. 무심코 먹은 간식으로 지나친 열량 섭취가 되기 쉽습니다.
   간식은 정해진 시간에 조금씩 먹습니다.

1. 이 글은 무엇을 안내하는 글인가요? ……………… (　　　　)

① 살찌는 법을 알리는 글　　② 비만 예방법을 알리는 글
③ 편식 줄이는 법을 알리는 글
④ 규칙적인 식사의 중요성을 알리는 글

2. 살이 찌는 이유는 무엇인가요? ……………… (　　　　)

① 신체 활동을 너무 많이 해서　② 살이 찌는 체질이어서
③ 음식을 조금씩 먹어서
④ 사용하고 남은 에너지가 지방으로 변해서

월 일 요일 확인

이야기 돋보기

3. 뜻이 같은 것끼리 연결하세요.

음식 섭취와 신체 활동이 균형을 이루어야 합니다.	곡류, 고기, 채소 등 음식을 골고루 먹어야 합니다.
영양소의 균형이 깨지지 않게 골고루 먹어야 합니다.	필요한 에너지보다 많이 먹기 쉽습니다.
식사를 거르는 것은 바람직하지 않습니다.	음식을 알맞게 먹고, 먹은 만큼 운동을 해야 합니다.
지나친 열량 섭취가 되기 쉽습니다.	제때에 밥을 먹지 않는 것은 좋지 않습니다.

4. 비만 예방을 위한 바른 식생활을 모두 고르세요. (,)

① 점심을 못 먹어서 저녁에 치킨을 많이 먹었다.
② 밥, 고기, 채소 등을 골고루 먹었다.
③ 살을 빼기 위해 저녁을 굶었다.
④ 아침, 점심, 저녁을 제때에 먹었다.
⑤ 밥은 조금 먹고 간식을 많이 먹었다.

5. 건강한 생활을 위해 내가 실천할 수 있는 일 2가지를 생각하여 적어 보세요.

①

②

낱말 창고

월 일 요일 확인

건강한 식생활과 관련된 낱말을 알아보고, 빈칸에 알맞은 답을 쓰세요.

식품 → 사람들이 먹는 음식물

열량 → 식품에 들어있는 영양소가 우리 몸에서 만드는 에너지 양

*열량이 높은 음식: 과자, 사탕, 초콜릿, 빵, 탄산음료, 라면, 햄버거, 피자 등

*열량이 낮은 음식: 토마토, 양배추, 두부 등

섭취 → 음식물을 먹음

영양소 → 사람이 살아가기 위해 음식물을 먹어서 얻는 성분, 탄수화물, 지방, 단백질, 무기질, 비타민 등

1. 사람은 살아가기 위해 많은 열량이 필요한데, 이 열량은 ________ 속의 영양소에서 나옵니다.

2. 식품마다 들어있는 ________가 다르고, ________마다 우리 몸에서 하는 일이 다르기 때문에 골고루 잘 먹어야 해요.

3. 무심코 먹은 간식으로 지나친 ________ 섭취가 되기 쉽습니다.

4. 동물성 지방보다는 식물성 지방을 ________하는 것이 건강에 좋습니다.

월 일 요일 확인

뽐내기

오늘 하루 내가 먹은 음식들을 생각하며 적어 보세요.

<예시>

2016년 9월 7일 화요일	
구분	음식의 종류와 양
아침	샌드위치(1개), 우유(1컵), 사과(반개)
점심	밥(한 그릇), 국(한 그릇), 김치(3점), 불고기(10점), 시금치(5점), 귤(1개)
저녁	칼국수(한 그릇), 김치(5점)
간식	과자(1봉지), 아이스크림(1개)

년 월 일 요일	
구분	음식의 종류와 양
아침	
점심	
저녁	
간식	

글마중

상품 포장지 읽기

제 품 명: 송라면 매운맛
유통기한: 2017. 03. 20까지
원 료 명: 소맥분(호주산), 팜유(말레이시아산)
제 조 원: 서경인 주식회사

조리방법

① 물 550ml(큰 컵으로 2컵과 3/4컵)에 건더기스프를 넣고 물을 끓인 후

② 분말스프를 넣고 면을 넣은 후 4분간 더 끓입니다.

③ 분말스프는 식성에 따라 적당량 넣어 주시고 김치, 파, 계란 등을 곁들여 드시면 더욱 맛이 좋습니다.

보관방법

1. 직사광선을 피하고 서늘하고 건조한 곳에 보관하십시오.
2. 석유류, 건어물류 등 냄새가 나는 곳에 보관하지 마십시오.
3. 유통기한이 지난 제품은 절대로 드시지 마십시오.
4. 조리법에 유의하시고 개봉 후 가능한 한 빨리 드십시오.
5. 포장재질은 폴리프로필렌으로 분리수거할 수 있습니다.
6. 조리 시 안전사고에 주의하십시오.
7. 포장의 절단면이 날카로워 다칠 우려가 있으므로 개봉 및 사용 시 주의하십시오.

월 일 요일 확인

신나는 글읽기

라면 봉지의 조리법에 따라 라면을 끓여 보세요. 어떤 순서로 재료를 넣었는지 번호를 쓰세요.

건더기스프	물 550ml	면	파, 계란	분말스프

다음 설명에 해당하는 낱말을 글마중의 밑줄 친 낱말에서 골라 쓰세요.

직사광선	정면으로 곧게 비치는 빛
	생선, 조개류 따위를 말린 식품
	식품 따위의 상품이 팔려서 쓸 수 있는 기한
	막아둔 것을 떼거나 여는 것
유의	마음에 새겨 두어 조심함
	잘랐을 때 생기는 면
	쓰레기 따위를 종류별로 나누어서 거두어 가는 것

이야기 돋보기

월　　일　　요일　확인

다음 글을 읽고 알맞은 답을 고르거나 쓰세요.

제 품 명: 송라면 매운맛

유통기한: 2017. 03. 20까지

원 료 명: 소맥분(호주산), 팜유(말레이시아산)

제 조 원: 서경인 주식회사

1. 어떤 제품의 포장지에 있는 글인가요? ________________

2. 이 라면을 팔아서는 안 되는 날은 다음 중 언제인가요? (　　　　)

① 2016년 12월 5일　② 2016년 5월 30일
③ 2017년 1월 20일　④ 2017년 8월 20일

3. 이 라면을 만드는 회사 이름은 무엇인가요?

____

4. 이 라면의 원료가 아닌 것은 무엇인가요? ······ (　　　　,　　　　)

① 말레이시아산 팜유　② 중국산 팜유
③ 호주산 소맥분　④ 국내산 소맥분

5. 여러분이 제일 좋아하는 라면의 제품명과 제조회사 이름은 무엇인가요?

▶ 제품명: ________________ , 제조회사명: ________________

월 일 요일 

다음 글을 읽고 알맞은 답을 고르거나 쓰세요.

〈라면 조리 방법〉

① 물 550ml(큰 컵으로 2컵과 3/4컵)에 건더기스프를 넣고 물을 끓인 후

② 분말스프를 넣고 면을 넣은 후 4분간 더 끓입니다.

③ <u>분말스프는 식성에 따라 적당량 넣어 주시고</u>, 김치, 파, 계란 등을 곁들여 드시면 더욱 맛이 좋습니다.

1. 무엇을 설명하는 글인가요? ____________________

2. 라면을 끓이는 순서대로 번호를 쓰세요.

분말스프를 넣는다.	
면을 넣고 4분간 끓인다.	
물 550ml에 건더기스프를 넣고 끓인다.	
김치, 파, 계란 등을 넣는다.	

3. 물 550ml를 큰 컵으로 넣을 때 얼마나 넣어야 할까요? 물의 양을 색칠해 보세요.

4. 밑줄 친 말은 무엇을 뜻하는 것일까요? ………………………… (　　　　)

① 평소 먹는 습관에 따라 스프 양을 조절해서 넣어라.

② 라면을 많이 먹고 싶은 사람은 분말스프를 다 넣어라.

③ 매운 것을 좋아하는 사람은 분말스프를 넣지 마라.

월 일 요일 확인

다음 글을 읽고 알맞은 답을 고르거나 쓰세요.

〈라면 보관 방법〉

1. 직사광선을 피하고 서늘하고 건조한 곳에 보관하십시오.
2. 석유류, 건어물류 등 냄새가 나는 곳에 보관하지 마십시오.
3. 유통기한이 지난 제품은 절대로 드시지 마십시오.
4. 조리법에 유의하시고 개봉 후 가능한 한 빨리 드십시오.

1. 무엇을 설명한 글인가요? ____________________

2. 알맞게 설명한 것과 연결하세요.

직사광선을 피하고 서늘하고 건조한 곳에 보관하십시오. •	• 미역이나 멸치 등과 함께 넣어놓지 마세요.
석유류, 건어물류 등 냄새가 나는 곳에 보관하지 마십시오. •	• 날짜가 지난 것은 먹지 마세요.
유통기한이 지난 제품은 절대로 드시지 마십시오. •	• 햇빛이 비치는 곳에 라면을 보관하지 마세요.
조리법에 유의하시고 개봉 후 가능한 빨리 드십시오. •	• 뜯으면 빨리 드세요.

월 일 요일 확인

이야기 돋보기

3. 다음 중 라면을 잘 보관한 친구는 누구인가요? ( )

① 정수: 햇빛이 잘 비치는 곳에 보관했어.
② 미진: 멸치랑 같이 서랍에 보관했어.
③ 소미: 한 달 전에 뜯어서 반만 먹고 놔뒀어.
④ 가은: 음식 보관 창고에 넣어놨어.

4. 다음을 읽고 맞으면 ○, 틀리면 X 하세요.

유통기한이 한 달 정도 지난 것은 먹어도 된다.	
라면은 서늘하고 그늘진 곳에 보관해야 한다.	
라면을 뜯은 후에 오래 놔둬도 된다.	

5. 알맞게 설명한 것과 연결하세요.

- 포장재질은 폴리프로필렌으로 분리수거할 수 있습니다.
- 조리시 안전사고에 주의하십시오.
- 포장의 절단면이 날카로워 다칠 우려가 있으므로 개봉 및 사용 시 주의하십시오.

- 라면 포장지는 분리수거할 수 있습니다.
- 포장지를 뜯을 때 다치지 않도록 주의하세요.
- 라면을 끓일 때 데지 않도록 주의하세요.

낱말 창고

월 일 요일 확인

<보기>에서 알맞은 낱말을 골라 문장을 채워 써 보세요.

1. 바다에서 나는 동식물을 말린 것을 [ ] 이라고 한다. 미역이나 멸치 같은 것을 말한다.
2. 페트병과 신문지는 재활용할 수 있도록 [ ] 함에 넣어야 한다.
3. 상자를 [ ] 하니 새 옷이 나왔다.
4. 종이의 [ ] 이 날카로워 손을 베었다.
5. 약은 [ ] 이 비치는 곳에 보관하면 안 된다.
6. [ ] 이 지난 우유를 먹었다가 배탈이 났다.
7. 국수의 [ ] 는 밀가루다.
8. 작년 여름에 [ ] 해 놓은 옷을 꺼냈다.
9. 카레 [ ] 을 잘 읽어보고 만들어 주세요.

<보기>

건어물	유통기한	조리법	개봉	절단면
직사광선	보관	분리수거	원료	유의

전자제품 사용 설명서 읽기 글마중

전기밥솥 사용 방법

1. 솥을 깨끗이 씻은 후 물기를 닦습니다.

2. 계량컵을 사용하여 쌀을 사람 수만큼 별도의 용기에 담습니다.

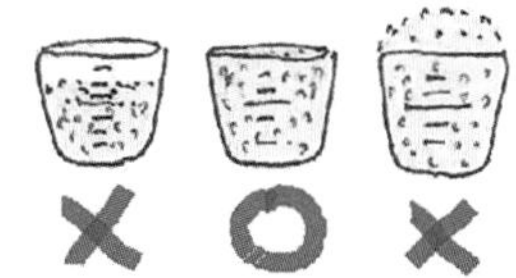

3. 쌀을 씻은 물이 맑아질 때까지 깨끗이 씻어 솥에 옮겨 담습니다.

4. 메뉴에 따라 물의 양을 조절합니다.

5. 전원 플러그를 꽂은 후 솥을 본체에 넣어 주십시오.

6. 뚜껑을 닫은 후 뚜껑 손잡이를 잠김 (🔒) 위치로 돌려주십시오.

7. '메뉴 / 선택' 버튼을 눌러 원하는 메뉴를 선택합니다.

8. '압력 취사' 버튼을 눌러 취사를 시작합니다.

신나는 글읽기

월　　일　　요일　확인

글을 읽고 알맞은 그림과 연결하세요.

솥을 깨끗이 씻은 후
물기를 닦습니다.

계량컵을 사용하여 쌀을 사람
수만큼 별도의 용기에 담습니다.

쌀을 씻은 물이 맑아질 때까지
깨끗이 씻어 솥에 옮겨 담습니다.

메뉴에 따라 물의 양을
조절합니다.

전원 플러그를 꽂은 후
솥을 본체에 넣어주십시오.

뚜껑을 닫은 후 뚜껑 손잡이를
잠김(🔒) 위치로 돌려주십시오.

'메뉴 / 선택' 버튼을 눌러
원하는 메뉴를 선택합니다.

'압력 취사' 버튼을 눌러
취사를 시작합니다.

월 일 요일 확인

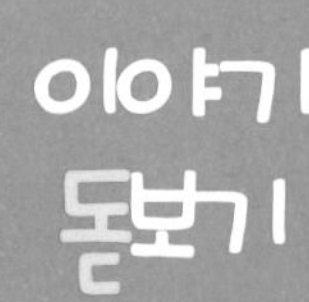

다음 글을 읽고 알맞은 답을 고르거나 쓰세요.

〈 전기밥솥 사용 설명서 〉

1. 솥을 깨끗이 씻은 후 물기를 닦습니다.
   ▶ 솥을 씻을 때는 부드러운 행주를 사용하십시오. 강한 수세미를 이용하면 표면이 벗겨집니다.
2. 계량컵을 사용하여 쌀을 사람 수만큼 별도의 용기에 담습니다.
   ▶ 쌀을 계량컵 윗면에 평평하게 맞추면 1인분에 해당됩니다.
   (예: 3인분 → 3컵)

1. 무엇을 설명하는 글인가요? ______________________

2. 설명서대로 솥을 씻지 않은 친구를 고르세요. (,)

   ① 찬수: 솥을 씻은 후 물기를 닦았다.
   ② 미지: 강한 수세미로 깨끗하게 닦았다.
   ③ 수정: 부드러운 행주로 닦았다.
   ④ 서정: 솥을 씻고 난 후 물이 묻은 채로 사용했다.

3. 계량컵을 알맞게 사용한 것을 고르세요. .... ( )

   ① 2인분 ② 3인분
   ③ 3인분 ④ 2인분

이야기 돋보기

월 일 요일 확인

다음 글을 읽고 알맞은 답을 고르거나 쓰세요.

3. 쌀을 씻은 물이 맑아질 때까지 씻은 후에 솥에 옮겨 담습니다.

4. 메뉴에 따라 물의 양을 조절합니다.
   ▶ 바닥이 평평한 곳에 솥을 올려놓고 솥에 표시된 눈금에 맞춰 물의 양을 조절합니다.

5. 전원 플러그를 꽂은 후 솥을 본체에 넣어주십시오.

6. **뚜껑을 닫은 후 뚜껑 손잡이를 잠김(🔒)위치로 돌려주십시오.**

1. 쌀을 씻을 때 주의해야 할 점은 무엇인가요?

   ____________________ 때까지 깨끗이 씻는다.

2. 물의 양을 조절할 때는 솥을 어디에 놓아야 하나요? … (   )

   ① 바닥이 평평한 곳　　② 손바닥 위
   ③ 본체 안　　④ 기울어진 곳

3. 솥을 본체에 넣기 전에 무엇을 꽂아야 하나요? ____________

4. 뚜껑을 닫은 후 꼭 해야 할 것은 무엇인가요? ………… (   )

   ① 뚜껑을 꼭 누른다.　　② 뚜껑 손잡이를 닦는다.
   ③ 다시 열어본다.　　④ 뚜껑 손잡이를 잠김위치로 돌린다.

월 일 요일 확인

이야기 돋보기

다음 글을 읽고 알맞은 답을 고르거나 쓰세요.

7. '메뉴 / 선택' 버튼을 눌러 원하는 메뉴를 선택합니다.
 ▶ 버튼을 누를 때마다 '백미–잡곡밥–현미–콩밥' 순서로 반복됩니다.

8. '압력 취사' 버튼을 눌러 취사를 시작합니다.

1. 밥 종류를 선택하려면 어떤 버튼을 눌러야 하나요? ········ (   )

① ▼ 메뉴 | 선택 ▲ ② ◉ 취사

③ ◌ 자동세척 ④ 🔒 잠김

2. 현미밥을 하려면 '취사 / 선택' 버튼을 몇 번 눌러야 할까요? ______번

3. 밥을 하는 순서대로 번호를 쓰세요.

솥을 씻어 물기를 닦아 놓는다.	①
쌀을 깨끗이 씻어 솥에 담는다.	
눈금을 보며 물의 양을 맞춘다.	
전원 플러그를 꽂은 후 솥을 본체에 넣는다.	
계량컵을 사용해 쌀을 쌀바가지에 담는다.	
뚜껑을 닫은 후 뚜껑 손잡이를 '잠김'으로 돌린다.	
'압력 취사' 버튼을 누른다.	
'메뉴 / 선택' 버튼을 눌러 원하는 메뉴를 선택한다.	

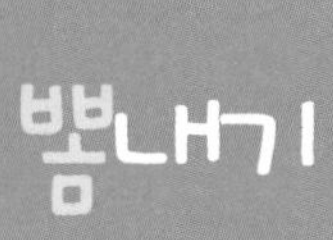

월 일 요일 확인

설명서대로 밥을 해 보고 느낀 점을 써 보세요.

어떤 밥을 지었나요? ⇨	
어떤 어려움이 있었나요? ⇨	
밥맛은 어땠나요? ⇨	
가족들은 어떤 말을 했나요? ⇨	

제목:

월 일 요일 확인

'ㅏ'와 'ㅘ'가 쓰이는 곳은 달라요. 글자를 읽으며 'ㅏ'는 파란색으로 'ㅘ'는 빨간색으로 ○ 하세요.

검사	전화	사과	활동
감사	화해	도화지	완성
와, 신난다.		오늘 안 와요?	
사탕과 과자는 맛있다.		친구와 놀았다.	
아빠가 과학책을 사 왔다.		좌석을 확인해 봐.	

알맞은 낱말이나 문장을 위에서 골라 빈칸에 쓰세요.

1. 선생님께서 숙제 ________를 하신다고 했다.

2. 할머니께서 선물을 보내주셔서 ________편지를 썼다.

3. 그림을 제일 늦게 ________해서 냈다.

4. 재미있게 ____________________.

5. 동생과 싸웠는데 내가 먼저 사과하고 ________했다.

6. ____________________. 드디어 현장학습을 간다.

7. 봉사 ________을 가려고 아침 일찍 학교에 왔다.

8. 영화관 ____________________.

우리말 약속

월 일 요일 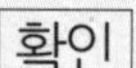

잘못 쓰인 글자를 찾아 ○ 하고, 바르게 고쳐 쓰세요.

<예시>	친구랑 빨리 (하해하지) 그러니? ⇨ 친구랑 빨리 <u>화해하지</u> 그러니?
아침에 (봉사할동)으로 휴지 줍기를 했어요. ⇨ 아침에 ______으로 휴지 줍기를 했어요.	
도하지에 검정 물감을 쏟았어요. ⇨	
만하책이 재미있어서 시간 가는 줄 몰랐다. ⇨	
내 짝이 교실로 들어왔다. ⇨	
맛있는 케이크를 주셔서 감솨해요. ⇨	
선생님께서 숙제 검솨를 하셨다. ⇨	

월 일 요일 확인

'ㅓ'와 'ㅝ'가 쓰이는 곳은 달라요. 글자를 읽으며 'ㅓ'는 파란색으로 'ㅝ'는 빨간색으로 ○ 하세요.

더러워	시원해요	어두워요	월요일
고마워	길어요	세워요	걸어갔다
귀여워		강아지를 키웠다.	
바구니에 둬라.		키가 커요.	
찾기 쉬워.		나눠 주세요.	

알맞은 낱말이나 문장을 위에서 골라 빈칸에 쓰세요.

1. 도와줘서 정말 ______________.
2. 바나나를 ______________.
3. 불을 켜 주세요. 너무 ______________.
4. 강바람이 무척 ______________.
5. 강아지가 너무 ______________.
6. 선생님, 우유를 ______________.
7. 점토놀이를 했더니 손이 너무 ______________.
8. 우리 집에 놀러 와. 우리 집 ______________.
9. 주차장에 차를 ______________.

우리말 약속

월 일 요일 확인

잘못 쓰인 글자를 찾아 ○ 하고, 바르게 고쳐 쓰세요.

<예시>	네가 (언해서) 하는 거니? ⇨ 네가 원해서 하는 거니?
(얼요일에) 늦잠을 잤다. ⇨ ______에 늦잠을 잤다.	
달님에게 소언을 빌어. ⇨	
틀린 글자를 지우개로 지었다. ⇨	
강아지가 귀여어서 쓰다듬었다. ⇨	
영화가 길워서 지루했다. ⇨	
만화책 한 건을 금방 읽었다. ⇨	

월 일 요일 확인

바르게 쓴 낱말을 골라 ○ 하세요.

선생님께서 책을 (나놔/ 나너/ 나눠) 주셨다.
얼굴이 너무 (더러어서/ 더러와서/ 더러워서) 세수를 했다.
무척 (고마어서/ 고마워서/ 고마와서) 인사를 했다.
미술시간에 작품을 빨리 (완성/ 원성/ 안성)했다.
현수는 고양이를 (키워서/ 키어서/ 키아서) 좋겠다.
아빠가 도넛을 (사아서/ 사와서/ 사워서) 기뻤다.
(전하/ 전화)를 걸어서 (하요일/ 화요일)에 만나자고 했다.
엄마가 용돈을 잘 (나덨냐고/ 나놨냐고/ 나눴냐고) 물으셨다.
사촌동생은 키가 (컸지만/ 큈지만) 여전히 (귀여왔다/ 귀여웠다).
부모님, (키워주셔서/ 키어주셔서) 정말 (감솨/ 감사)합니다.
우리는 (쏴우고/ 싸우고)나서 금방 (하해한다/ 화해한다).
동생이 (하/ 화)를 내고는 (사가/ 솨가/ 사과)도 안한다.
약속을 (확인/ 학인)해 보니 시간이 (지났다/ 지놨다).

월 일 요일 확인

'ㅐ'와 'ㅔ'가 쓰이는 곳은 달라요. 글자를 읽으며 'ㅐ'는 파란색으로 'ㅔ'는 빨간색으로 ○ 하세요.

개미	네모	안개	여행
냄새	오렌지	생선	덧셈
계단을 내려갔다.		그림을 베꼈다.	
색종이를 접어.		떡볶이가 맵다.	
맨발로 뛰었다.		동생에게 줘라.	

위 글자를 'ㅐ'와 'ㅔ'로 구분해 다시 쓰세요.

'ㅐ'가 들어간 낱말이나 문장	'ㅔ'가 들어간 낱말이나 문장
개미	네모

월 일 요일 확인

우리말 약속

잘못 쓰인 글자를 찾아 ○ 하고, 바르게 고쳐 쓰세요.

<예시>	길을 못 찾아 해멨다. ⇨ 길을 못 찾아 헤맸다.
가족과 함깨 여행을 다녀왔다. ⇨ 가족과 ________ 여행을 다녀왔다.	
내모, 새모, 동그라미 모양 과자를 먹었다. ⇨	
수영 시작 전에 준비 채조를 해야 한다. ⇨	
우리는 산 아레로 네려갔다. ⇨	
나는 동생에게 사탕을 건내 주었다. ⇨	
덧샘은 쉬운데 뺄샘은 어렵다. ⇨	

월 일 요일 확인

'ㅒ'와 'ㅖ'가 쓰이는 곳은 달라요. 글자를 읽으며 'ㅒ'는 파란색으로 'ㅖ'는 빨간색으로 ○ 하세요.

<table>
<tr><td>예의</td><td>차례차례</td><td>얘기</td><td>예매</td></tr>
<tr><td>계획표</td><td>계란</td><td>식혜</td><td>옛날에</td></tr>
<tr><td colspan="2">걔는 왜 그러니?</td><td colspan="2">제가 실례를 했어요.</td></tr>
<tr><td colspan="2">영화표는 예매했니?</td><td colspan="2">얘야, 이리 와.</td></tr>
<tr><td colspan="2">얘기해 주세요.</td><td colspan="2">은혜 갚은 까치</td></tr>
</table>

위 글자를 'ㅒ'와 'ㅖ'로 구분해 다시 쓰세요.

'ㅒ'가 들어간 낱말이나 문장	'ㅖ'가 들어간 낱말이나 문장
얘기	예의

월 일 요일 확인

우리말 약속

잘못 쓰인 글자를 찾아 ○ 하고, 바르게 고쳐 쓰세요.

<예시>	할머니께 (얘의) 바르게 인사드려라. ⇨ 할머니께 예의 바르게 인사드려라.
할머니, (엣날 예기) 해 주세요. ⇨ 할머니, ________ ________ 해 주세요.	
병원 에약 하는 걸 깜박 잊었어. ⇨	
여름 방학에 놀러 갈 개획은 세웠니? ⇨	
까치가 은해를 갚으려고 머리로 종을 쳤대. ⇨	
엄마, 걔란이 다 떨어졌어요. ⇨	
차례차례 줄을 서세요. ⇨	

우리말 약속

월 일 요일 확인

바르게 쓴 낱말을 골라 ○ 하세요.

아빠가 (낵타이 / 넥타이)를 (매고 / 메고) 나오셨다.
명희는 (할머니깨 / 할머니께 / 할머니꼐) 전화를 했다.
엄마가 (게란 / 개란 / 계란)을 부쳐 주셨다.
시험 (문재 / 문제 / 문졔)가 어려웠다.
엄마가 꼬마에게 "(애야 / 예야 / 얘야)."라고 말했다.
(애벌래 / 애벌레 / 에벌래)가 꿈틀꿈틀 기어갔다.
우리는 (차래차래 / 차레차레 / 차례차례) 줄을 섰다.
저녁에 (텔레비전 / 탤래비전 / 탤레비전)을 보았다.
(내일 / 네일 / 녜일) 친구를 만나기로 (했다 / 혰다 / 헸다).
우리는 (여행계획 / 여헹계획 / 여행개획)을 세웠다.
(어재 / 어제) 놀이터에서 (그내 / 그네)를 탔다.
엄마가 (식해 / 식혜 / 식헤)를 사오라고 하셨다.
수학 시간에 (곱샘문제 / 곱셈문재 / 곱셈문제)를 풀었다.

학교폭력 예방 포스터 읽기 글마중

폭력 없는 행복한 학교
우리가 만들어요

학교폭력 예방을 위한 나의 약속

1. 친구를 격려하고 아끼는 말을 할게요.
2. 친구를 괴롭히거나 때리지 않을게요.
3. 친구를 욕하거나 나쁜 소문을 퍼트리지 않을게요.
4. 고민이 있으면 부모님, 선생님께 말씀드릴게요.
5. 괴롭힘을 당하는 친구를 보면 적극적으로 도와줄게요.
6. 사이버 상에서 친구의 험담을 하지 않을게요.
7. 친구가 나에게 하고 싶지 않은 것을 시키면 싫다고 말할게요.

교육부

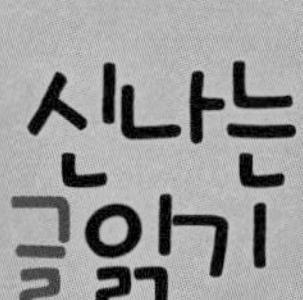

월 일 요일 확인

이 포스터의 주제와 만든 곳을 글마중에서 찾아보세요.

▶ 주제 : ______________________

▶ 만든 곳 : ______________________

학교폭력 예방을 위한 7가지 나의 약속을 완성하세요.

① 친구를 격려하고 ______________________

② 친구를 괴롭히거나 ______________________

③ 친구에게 욕하거나 ______________________

④ 고민이 있으면 ______________________

⑤ 괴롭힘을 당하는 친구를 보면 ______________________

⑥ 사이버 상에서 ______________________

⑦ 친구가 나에게 ______________________

이야기 돋보기

월 일 요일 

 **다음 글을 읽고 알맞은 답을 고르거나 쓰세요.**

학교폭력 예방을 위한 나의 약속

1. 친구를 격려하고 아끼는 말을 할게요.
2. 친구를 괴롭히거나 때리지 않을게요.
3. 친구를 욕하거나 나쁜 소문을 퍼트리지 않을게요.
4. 고민이 있으면 부모님, 선생님께 말씀드릴게요.
5. 괴롭힘을 당하는 친구를 보면 적극적으로 도와줄게요.
6. 사이버 상에서 친구의 험담을 하지 않을게요.
7. 친구가 나에게 하고 싶지 않은 것을 시키면 싫다고 말할게요.

1. 이 글은 어떤 글인가요? ··························· (　　　　)

① 학교폭력위원회 개최를 알리는 글

② 고민상담 방법을 알리는 글

③ 사이버 폭력 신고 방법을 알리는 글

④ 학교폭력 예방을 위해 지켜야 할 약속을 알리는 글

2. 친구를 격려하고 아끼는 말을 한 친구는 누구인가요? ······ (　　　　)

① 지윤: 너 때문에 우리 모둠이 제일 늦었잖아.

② 현준: 거북이도 너보다는 낫겠다.

③ 예찬: 민수야, 속상하지? 내가 좀 도와줄까?

④ 수홍: 그냥 우리가 할게. 넌 빠지는 게 낫겠어.

이야기 돋보기

월 일 요일 확인

3. 나는 친구들과의 관계에서 어떤 고민이 있나요?

____

4. 친구들이 하교 후에 나를 자꾸 때리고 놀립니다. 어떻게 하면 좋을까요? ( )

① 나도 친구를 때려 힘이 세다는 것을 보여준다.
② 부모님이나 선생님께 말씀드린다.
③ 어른들에게 말하면 친구들이 더 괴롭힐 수도 있으니 그냥 꾹 참는다.
④ 부모님이 속상해하실 수 있으니 혼자 해결할 방법을 찾아본다.

5. 친구들이 지혜를 괴롭히는 것을 보았습니다. 나는 어떻게 해야 할까요? (,)

① 친구들이 나도 괴롭힐 수 있으니 그냥 모른 척한다.
② 나만 안 하면 따돌림을 당할 수 있으니 나도 지혜를 괴롭힌다.
③ 친구들에게 그러지 말라고 이야기한다.
④ 혼자 해결이 안 된다면 어른들에게 도움을 요청한다.

6. 다음 중 학교폭력 예방을 위한 바른 행동에는 ○, 바르지 않은 행동에는 X 하세요.

① 이어달리기 대회에서 넘어져 속상해하는 나리에게 열심히 달려 줘서 고맙다고 쪽지를 써 주었다.	
② 친구들이 한 친구를 왕따 시키는데 나도 같이 당할까봐 그냥 모른 척했다.	
③ 친구들이 자꾸 나를 괴롭혀서 선생님께 말씀드렸다.	
④ 친구들이랑 채팅방에서 내가 싫어하는 애에 대해 욕을 했더니 속이 시원하다.	
⑤ 친구가 다른 친구를 때리라고 하면 싫다고 말한다.	

월 일 요일 확인

뽐내기

혹시 지금까지 학교폭력 피해를 당한 적이 있나요? 다음 질문을 읽고 답하세요.

번호	질문 내용	있다	없다
1	친구나 선배에게 맞거나 갇혔다.		
2	내가 가지고 있는 돈이나 물건을 빼앗겼다.		
3	친구나 선배가 시켜서 강제로 심부름을 했다.		
4	심한 욕설과 놀림, 협박을 당했다.		
5	강제추행, 성폭행을 당했다.		
6	친구들한테 계속 집단 따돌림을 당했다.		
7	컴퓨터나 휴대전화로 계속 괴롭힘을 당했다. (인터넷 채팅, 이메일, 문자, SNS를 이용한 심한 욕설, 비방)		
8	내가 싫다고 하는데도 다른 학생이 계속 따라다니며 괴롭히고 불안하게 했다.		

♥ 학교폭력을 당한 적이 있다면 부모님이나 선생님에게 빨리 알려야 도움을 받을 수 있어요.
망설이지 말고 꼭 어른들에게 말해요!

글마중

과학실 안내문 읽기

실험실 안전수칙

실험하기 전

- 선생님의 지시에 잘 따릅니다.
- 실험 내용과 실험 기구 사용 방법 등을 알아 둡니다.
- 소화기의 위치와 사용 방법을 알아 둡니다.

실험하는 동안

- 기체가 발생하는 실험일 경우에는 환기를 합니다.
- 뜨거운 물체를 만질 때에는 장갑을 끼거나 집게를 사용합니다.
- 시험관 입구가 사람을 향하지 않도록 합니다.

- 약품 냄새를 맡을 때에는 손으로 바람을 일으켜 살짝 맡습니다.
- 약품을 엎질렀을 때에는 선생님께 말씀드립니다.
- 날카로운 물건은 조심히 다룹니다.
- 장난치거나 뛰어다니지 않습니다.

실험이 끝난 뒤

- 사용한 실험 기구는 제자리에 옮겨두고 실험한 자리를 정리합니다.
- 사용한 실험 기구는 깨끗이 씻습니다.
- 사용한 약품은 선생님의 안내에 따라 정해진 곳에 버립니다.

※**출처** | 4학년 과학 교과서, 교육부

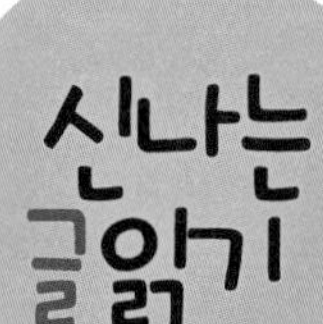

월 일 요일 확인

글마중을 잘 읽고 그림에 어울리는 안전수칙을 적어 보세요.

월 일 요일 확인

이야기 돋보기

다음 글을 읽고 알맞은 답을 고르거나 쓰세요.

실험하기 전

- 선생님의 지시에 잘 따릅니다.
- 실험 내용과 실험 기구 사용 방법 등을 알아 둡니다.
- 소화기의 위치와 사용 방법을 알아 둡니다.

1. 실험하기 전에 알아 두어야 할 안전수칙으로 바르지 않은 것은 무엇인가요? ( )

① 선생님의 지시에 잘 따른다.
② 미리 실험 내용을 잘 알아 둔다.
③ 실험 기구를 한 번씩 만져본다.
④ 소화기의 위치와 사용 방법을 알아 둔다.

2. 실험하기 전에 소화기의 위치와 사용 방법을 알아 두어야 하는 이유는 무엇일까요?

____

3. 우리 교실(또는 실험실)에는 소화기가 어디 있는지 알아보세요.

____

월 일 요일 확인

다음 글을 읽고 알맞은 답을 고르거나 쓰세요.

실험하는 동안

- 기체가 발생하는 실험일 경우에는 환기를 합니다.
- 뜨거운 물체를 만질 때에는 장갑을 끼거나 집게를 사용합니다.
- 시험관 입구가 사람을 향하지 않도록 합니다.
- 약품 냄새를 맡을 때에는 손으로 바람을 일으켜 살짝 맡습니다.
- 약품을 엎질렀을 때에는 선생님께 말씀드립니다.
- 날카로운 물건은 조심히 다룹니다.
- 장난치거나 뛰어다니지 않습니다.

1. 물질의 상태에 알맞게 연결하세요.

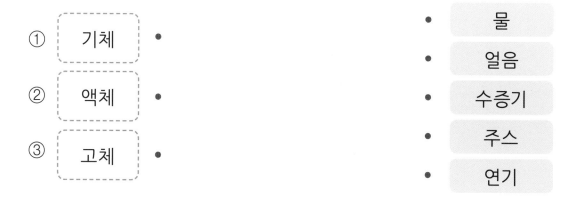

2. 뜨거운 물체를 만질 때에는 어떻게 해야 하나요?

월 일 요일 확인

이야기 돋보기

3. 시험관은 어떻게 드는 것이 좋을까요? ( )

①  시험관 입구를 얼굴 아래에 둔다.

②  시험관 입구를 친구 가까이에 둔다.

③ 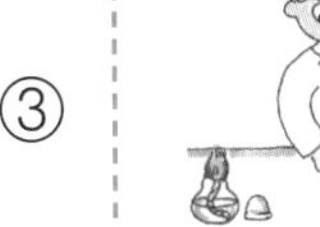 바닥에 눕혀둔다.

④  시험관 입구가 사람을 향하지 않도록 한다.

4. 약품 냄새를 맡을 때 손으로 바람을 일으켜 살짝 맡아야 하는 이유는 무엇일까요? ( )

① 더 아름다워 보이기 때문에
② 직접 냄새를 맡으면 위험할 수도 있기 때문에
③ 냄새를 더 잘 맡을 수 있기 때문에
④ 여러 사람이 함께 냄새를 맡을 수 있기 때문에

5. 실험을 하는 동안 지켜야 할 안전수칙으로 바른 행동에는 ○, 바르지 않은 행동에는 X 하세요.

① 기체가 발생하는 실험을 하는 경우 창문을 꼭 닫는다.	
② 시험관 입구가 사람을 향하지 않도록 한다.	
③ 약품에 직접 코를 대고 냄새를 맡는다.	
④ 약품을 엎지르면 선생님께 혼나기 전에 재빨리 닦는다.	
⑤ 장난치거나 뛰어다니지 않는다.	

이야기 돋보기

월 일 요일 확인

다음 글을 읽고 알맞은 답을 고르거나 쓰세요.

실험이 끝난 뒤

- 사용한 실험 기구는 제자리에 옮겨두고 실험한 자리를 정리합니다.
- 사용한 실험 기구는 깨끗이 씻습니다.
- 사용한 약품은 선생님의 안내에 따라 정해진 곳에 버립니다.

1. 사용한 실험 기구는 어떻게 해야 할까요?

____

____

2. 사용한 약품은 어떻게 해야 하나요? ( )

① 하수구에 버린다.
② 쓰레기통에 버린다.
③ 집에 가서 실험할 수 있도록 잘 가져간다.
④ 선생님의 안내에 따라 정해진 곳에 버린다.

3. 실험이 끝난 뒤 지켜야 할 안전수칙으로 바르지 <u>않은</u> 것은 무엇인가요? ( )

① 사용한 실험 기구는 제자리에 옮겨 둔다.
② 실험한 자리를 잘 정리한다.
③ 사용한 실험 기구는 모두 버린다.
④ 사용한 약품은 선생님의 안내에 따라 정해진 곳에 버린다.

월 일 요일 확인

여러 가지 실험 기구를 알아봅시다. 사진을 보고 <보기>에서 알맞은 이름을 찾아 쓰세요.

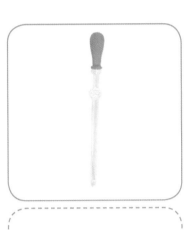

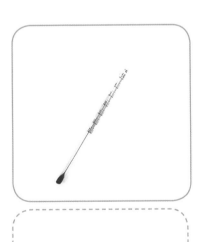

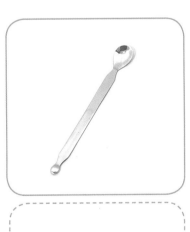

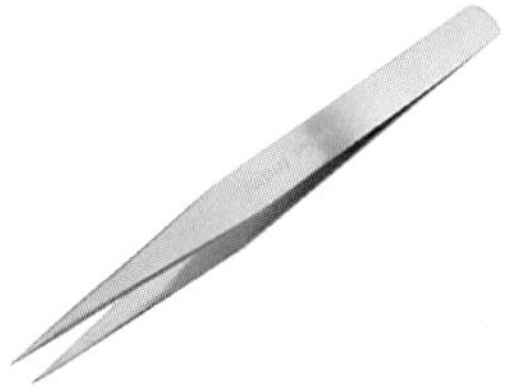

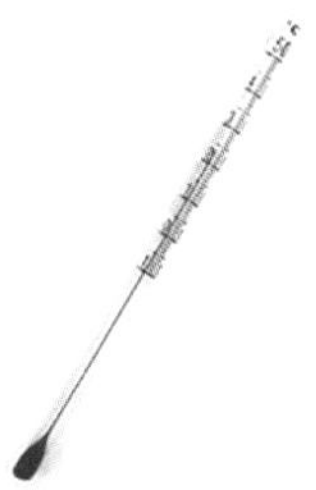

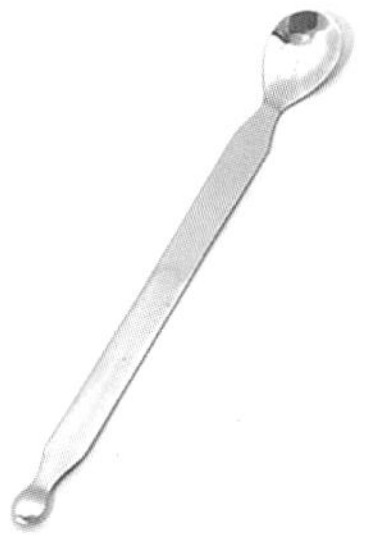

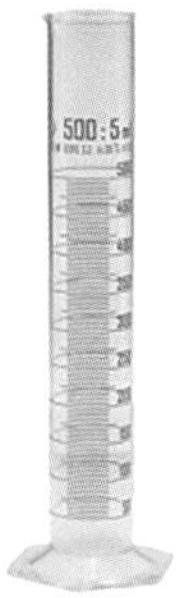

<보기>

눈금 실린더	비커	스포이트
약숟가락	온도계	핀셋

뽐내기

월 일 요일 확인

어떤 상황에서 지켜야 할 안전수칙인지 <보기>에서 골라 써 보세요.

________________ 이용 안전수칙

- ▶ 안전장비(헬멧)를 착용하세요.
- ▶ 과속하지 마세요.
- ▶ 야간에는 전조등을 켜고 운행하세요.

________________ 이용 안전수칙

- ▶ 어린이(6~12세)만 이용하세요.
- ▶ 위생을 위해 반려동물 출입을 금합니다.
- ▶ 날카로운 물질을 발견하면 치워줍니다.

________________ 이용 안전수칙

- ▶ 황색 안전선 안에 발을 놓습니다.
- ▶ 손잡이를 잡지 않으면 넘어질 수 있습니다.
- ▶ 어린이는 보호자와 함께 탑니다.
- ▶ 내릴 때는 미리미리 준비를 합니다.

________________ 이용 안전수칙

- ▶ 한꺼번에 너무 많이 타지 않습니다.
- ▶ 안에서 쿵쿵 뛰면 갑자기 멈출 수 있습니다.
- ▶ 문에 기대거나 충격을 주면 추락할 위험이 있습니다.

<보기> 엘리베이터 놀이터 자전거 에스컬레이터

뽐내기

월 일 요일 확인

각 상황에서 지켜야 할 안전수칙을 생각하여 써 보세요.

가스레인지를 사용할 때는

- ▶ 불 가까이에 탈 수 있는 것을 놓지 않습니다.
- ▶ 뜨거운 냄비에 데지 않도록 조심합니다.
- ▶ 사용한 후에는 가스 밸브를 꼭 잠급니다.

전자레인지를 사용할 때는

▶ 달걀이나 밤 등 껍질이 있는 음식은 넣지 않습니다.

▶ ______________________________

▶ ______________________________

수영장을 이용할 때는

▶ 준비 체조를 꼭 합니다.

▶ ______________________________

▶ ______________________________

글마중

보드게임 사용 설명서 읽기

텀블링 몽키

내용물

* 야자수: 1세트(바닥, 몸통, 잎)
* 원숭이 인형: 30개　　* 색깔 주사위: 1개
* 색깔 막대: 30개(분홍, 연두, 주황 각 10개씩)

준비

1. 야자수 각 층마다 같은 색깔 막대를 2개씩 꽂습니다.
2. 야자수 잎 위쪽 구멍으로 원숭이를 모두 쏟아 넣습니다.

진행

1. 가장 어린 사람부터 시작합니다. 차례는 시계 방향으로 돌아갑니다.
2. 색깔 주사위를 굴려서 나오는 색깔과 같은 색깔의 막대를 뽑습니다. 색깔 막대는 반드시 위에서부터 뽑아야 합니다.
3. 막대를 뽑는 도중 원숭이가 떨어지면 막대를 뽑은 사람이 원숭이를 가져갑니다. 떨어뜨린 원숭이 개수가 자신의 벌점이 됩니다.
4. 주사위를 굴려서 나온 색깔의 막대가 하나도 남지 않았으면 다음 차례로 넘어갑니다.

종료

원숭이가 모두 떨어지면 게임이 끝납니다.
원숭이를 가장 적게 가진 사람이 이깁니다.

월 일 요일 확인

신나는 글읽기

글마중은 보드게임 <텀블링 몽키>의 사용 설명서입니다. 놀이 규칙이 맞는지 ○, X 하세요

<텀블링 몽키>는 원숭이를 가장 적게 떨어뜨린 사람이 이기는 보드게임이다.	
색깔 주사위를 던져서 나온 색과 같은 색의 막대를 뽑는다.	
색깔 막대는 위치와 상관없이 뽑고 싶은 것을 뽑으면 된다.	
주사위를 먼저 잡은 사람이 시작한다.	
야자수 각 층마다 같은 색깔 막대를 2개씩 꽂아야 한다.	
가장 나이가 많은 사람부터 시작한다.	
떨어뜨린 원숭이의 개수가 많을수록 유리하다.	
색깔 주사위의 색과 같은 색의 막대가 하나도 남지 않았으면 아무 막대나 뽑을 수 있다.	
막대를 뽑을 때 원숭이를 떨어뜨려야 한다.	

월 일 요일 확인

다음 글을 읽고 알맞은 답을 고르세요.

〈텀블링 몽키〉

내용물

* 야자수: 1세트(바닥, 몸통, 잎)
* 원숭이 인형: 30개 * 색깔 주사위: 1개
* 색깔 막대: 30개(분홍, 연두, 주황 각 10개씩)

준비

1. 야자수 각 층마다 같은 색깔의 막대를 2개씩 꽂습니다.
2. 야자수 잎 위 쪽 구멍으로 원숭이를 모두 쏟아 넣습니다.

1. 색깔 막대 꽂는 방법을 바르게 설명한 사람은 누구인가요? (   )

① 은지: 30개의 색깔 막대를 야자수 구멍에 자유롭게 꽂으면 돼.
② 영민: 야자수 각 층마다 같은 색 막대를 3개씩 꽂으면 돼.
③ 경원: 야자수 각 층마다 같은 색의 막대를 2개씩 꽂으면 돼.
④ 수민: 야자수 각 층마다 다른 수의 색깔 막대를 끼워도 돼.

2. 설명에 맞게 원숭이를 준비한 쪽에 ○ 하세요.

① 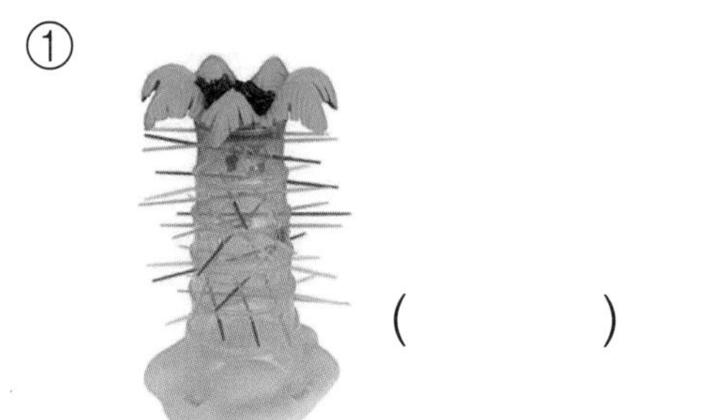 (   )

② 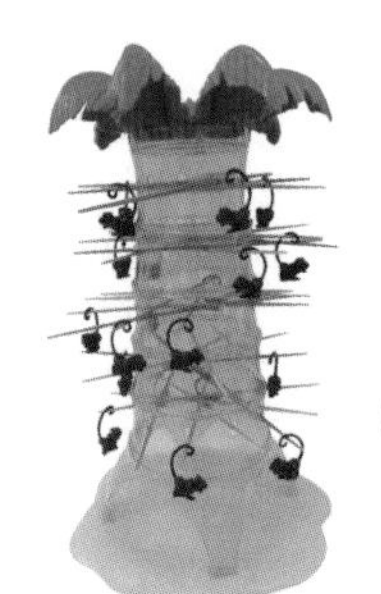 (   )

월 일 요일 확인

이야기 돋보기

다음 글을 읽고 알맞은 답을 고르거나 쓰세요.

진행

1. 가장 어린 사람부터 시작합니다. 차례는 시계 방향으로 돌아갑니다.
2. 색깔 주사위를 굴려서 나오는 색깔과 같은 색깔의 막대를 뽑습니다. 색깔 막대는 반드시 위에서부터 뽑아야 합니다.
3. 막대를 뽑는 도중 원숭이가 떨어지면 막대를 뽑은 사람이 원숭이를 가져갑니다. 떨어뜨린 원숭이 개수가 자신의 벌점이 됩니다.
4. 주사위를 굴려서 나온 색깔의 막대가 하나도 남지 않았으면 다음 차례로 넘어갑니다.

종료 원숭이가 모두 떨어지면 게임이 끝납니다.
원숭이를 가장 적게 가진 사람이 이깁니다.

1. 다음 중 게임 방법을 바르게 설명한 것을 찾으세요. … (　　　　)

① 차례는 시계 방향으로 돌아간다.
② 색깔 막대는 자유롭게 뽑는다.
③ 원숭이를 많이 떨어뜨릴수록 유리하다.
④ 주사위 색과 같은 색깔의 막대가 없으면 한 번 더 던진다.

이야기 돋보기

월 일 요일 확인

2. 게임의 승패는 어떻게 결정되는지 맞는 것에 ○ 하세요.

게임이 끝났을 때 (원숭이 / 색깔 막대)를 가장 (많이 / 적게) 갖고 있는 사람이 이긴다.

3. 다음 문장을 완성하세요.

색깔 주사위를 굴려서 나오는 색깔과 ____________ 색깔의 막대를 뽑습니다. 색깔 막대는 반드시 ____________ 에서부터 뽑아야 합니다.

4. 게임 진행 순서대로 번호를 쓰세요.

원숭이를 쏟아 넣는다.	
각 층에 같은 색깔 막대를 2개씩 꽂는다.	①
주사위를 던져 같은 색깔 막대를 위에서부터 하나씩 뽑는다.	
원숭이가 떨어지면 가져간다.	
막대를 모두 뽑으면 내가 가진 원숭이 수를 센다.	

월 일 요일 확인

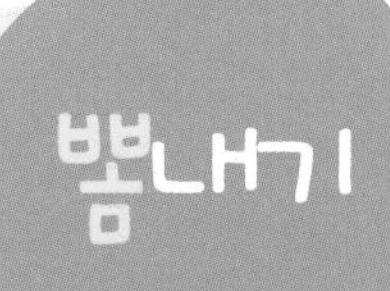

자신이 좋아하는 보드게임을 소개해 보세요.

보드게임 이름	
내용물 (준비물)	
게임 방법	
승패	

글마중

윷놀이 설명서 읽기

윷놀이 놀이 방법

• **준비물** : 윷판, 윷 4개, 말(같은 색 4개씩 2벌), 깔개

〈 놀이 방법 〉

1. 참가하는 사람을 두 편으로 나눈다.
2. 윷을 2개씩 던져 누가 먼저 할지 순서를 정한다.
3. 윷 4개를 깔개 위에 던진다.
4. 윷을 던져 나온 도(1칸), 개(2칸), 걸(3칸), 윷(4칸), 모(5칸), 뒷도(뒤로 1칸)의 규칙으로 말을 옮겨 간다.
5. 윷가락이 깔개 밖으로 나가면 상대편으로 차례가 넘어간다. 윷, 모가 나오거나 상대편 말을 잡으면 한 번 더 던진다.
6. 말 4개가 시작점으로 돌아와서 나가면 이긴다.
   ※ 잡기: 뒤쫓아 오는 말이 앞말을 잡을 수 있다.
   ※ 업기: 같은 편의 말을 겹쳐서 함께 갈 수 있다.

도	
개	
걸	
윷	
모	
뒷도	

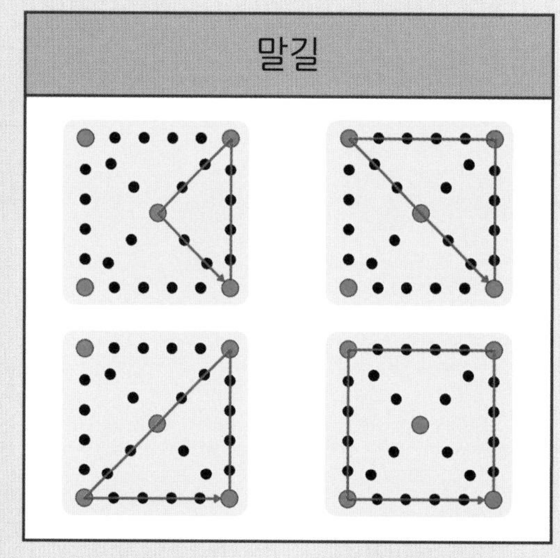

월 일 요일 확인

'윷놀이' 동요를 배워봅시다.

〈윷놀이〉

작사 전유순

윷 나와라 모 나와라 신나는 윷놀이에
온가족이 모두 모여 웃음꽃 피어난다.
윷가락을 더 높이 던져보자.
모가 나야 이길 텐데
얼쑤, 좋다. 또 모가 나왔구나.
덩실덩실 춤을 춘다.
윷 나와라 모 나와라 신나는 윷놀이에
온가족이 흥에 겨워 어깨춤 절로 난다.

선생님께 한마디 인터넷으로 동요를 검색해 들려주세요.

이야기 돋보기

월 일 요일 확인

다음 글을 읽고 알맞은 답을 고르거나 쓰세요.

준비물: 윷판, 윷 4개, 말(같은 색 말 4개씩 2벌), 깔개

〈놀이 방법〉

1. 참가하는 사람을 두 편으로 나눈다.
2. 윷을 2개씩 던져 누가 먼저 할지 순서를 정한다.
3. 윷 4개를 깔개 위에 던진다.
4. 윷을 던져 나온 도(1칸), 개(2칸), 걸(3칸), 윷(4칸), 모(5칸), 뒷도(뒤로 1칸)의 규칙으로 말을 옮겨 간다.
5. 윷가락이 깔개 밖으로 나가면 상대편으로 차례가 넘어간다. 윷, 모가 나오거나 상대편 말을 잡으면 한 번 더 던진다.
5. 말 4개가 시작점으로 돌아와서 나가면 이긴다.

※ 잡기: 뒤쫓아 오는 말이 앞말을 잡을 수 있다.
※ 업기: 같은 편의 말을 겹쳐서 함께 갈 수 있다.

1. 무엇에 대해 설명하는 글인가요?

____

2. 윷놀이 준비물입니다. (　　)안을 알맞게 채우세요.

윷판, 윷가락 (　　)개, 같은 색 말 (　　)개씩 (　　)벌, 깔개

월 일 요일 확인

이야기 돋보기

3. 어느 편이 먼저 할지 순서를 정할 때는 어떻게 합니까? (   )

① 윷을 2개씩 던져 이긴 편이 먼저 한다.
② 윷을 4개씩 던져 이긴 편이 먼저 한다.
③ 가위바위보를 해서 이긴 편이 먼저 한다.
④ 윷을 빨리 잡는 편이 먼저 한다.

4. 알맞게 연결해 보세요.

걸		두 칸
모		네 칸
개		세 칸
윷		한 칸
도		다섯 칸
뒷도		뒤로 한 칸

이야기 돋보기

월 일 요일 확인

5. 윷놀이는 언제 끝나나요?

한 편의 말 ________ 개가 ________________ 으로 다시 돌아와서 나가면 이긴다.

6. 다음의 경우에 어떻게 해야 하는지 알맞은 것에 연결하세요.

윷가락 한 개가 깔개 밖으로 튀어 나갔다. •	• 상대편 말은 처음으로 되돌아가고 우리 편은 윷을 한 번 더 던진다(잡기).
‘모’가 나왔다. •	• 다른 편이 던진다.
상대편 말이 있는 곳에 우리 편 말을 놓았다. •	• 한 번 더 던지고 ‘모’와 합하여 말을 놓는다.
우리 편 말이 있는 곳에 말을 하나 더 놓았다. •	• 말 두 개를 함께 움직인다(업기).

월 일 요일 확인

다음 글을 읽고 알맞은 답을 고르거나 쓰세요.

도	
개	
걸	
윷	
모	
뒷도	

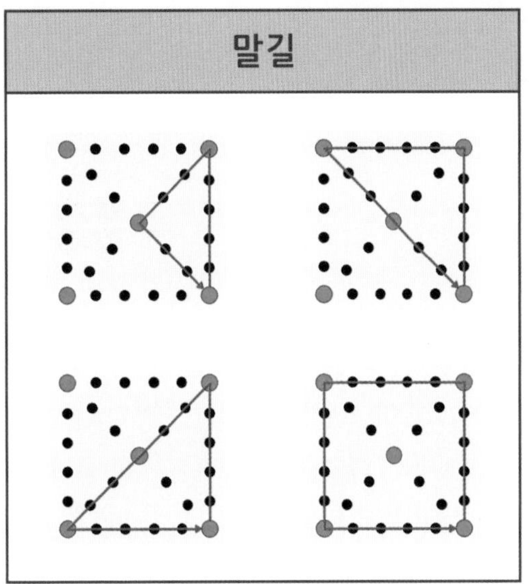

1. 위의 말길 중 가장 빠르게 날 수 있는 말길을 그려보세요.

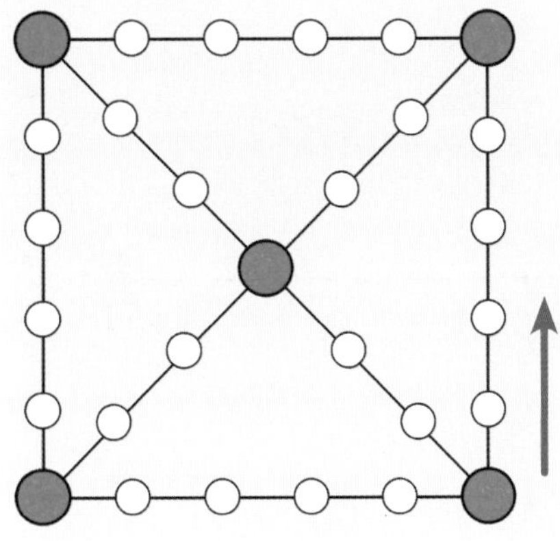

2. 빨간 편 차례입니다. '개'가 나왔다면 말을 어디에 놓아야 할까요? 빨간색으로 색칠해 보세요.

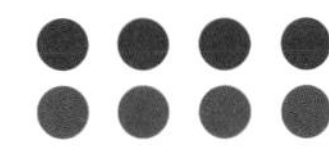

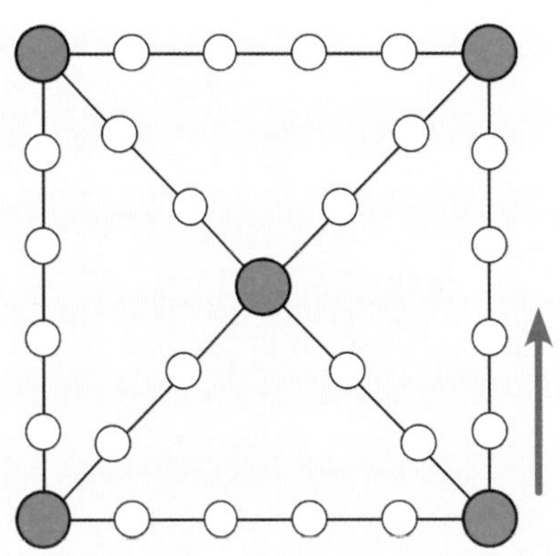

이야기 돋보기

월 일 요일 확인

3. 파란 편 차례입니다. '걸'이 나왔다면 말을 어디에 놓아야 할까요? 파란색으로 색칠해 보세요.

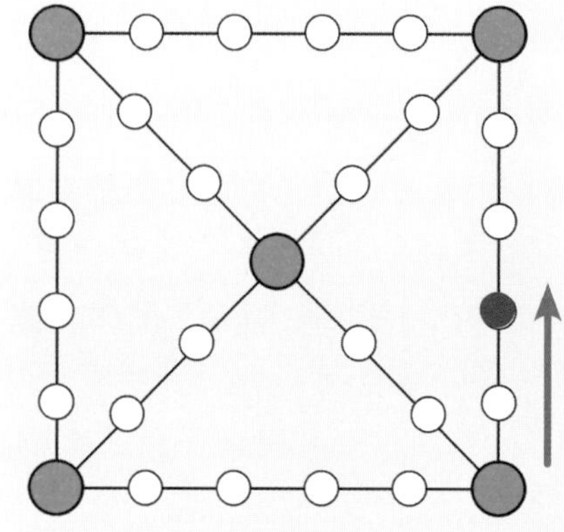

4. 빨간 편 차례입니다. '개'가 나왔다면 말을 어디에 놓아야 할까요? 2가지 경우를 생각하여 빨간색으로 색칠해 보세요.

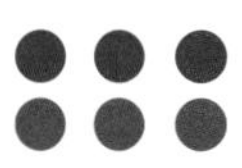

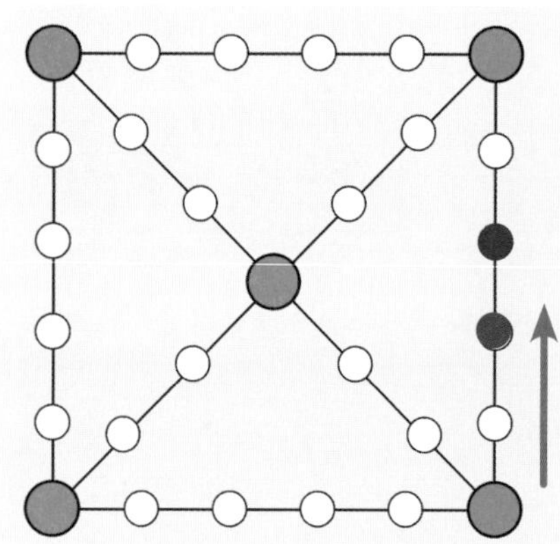

(1) 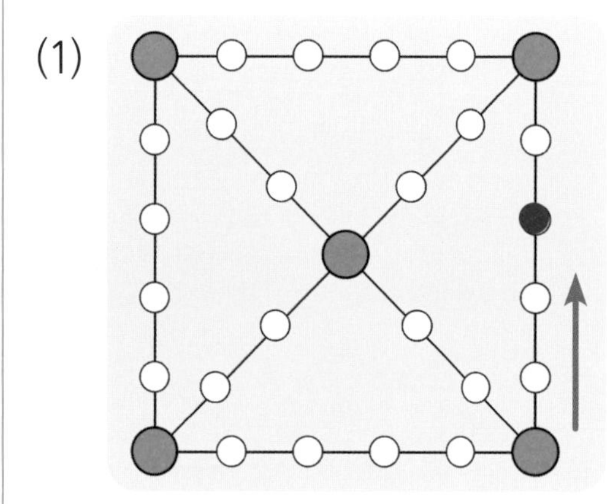	(2) 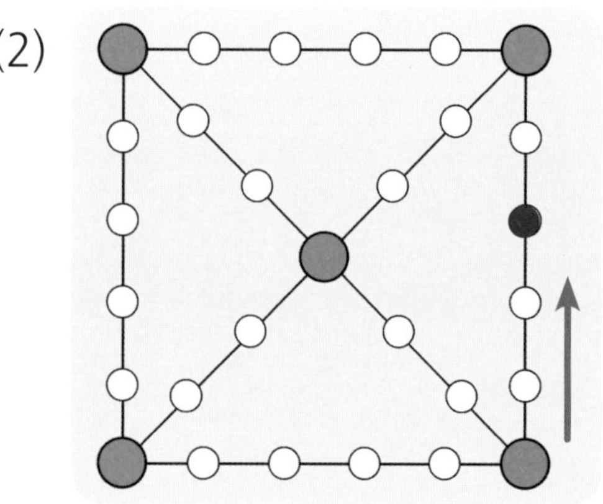
말 두개로 놓는 경우	업기를 활용하는 경우

5. 파란 편 차례입니다. '윷'과 '걸'이 나왔다면 말을 어떻게 놓을 수 있을까요? 두 가지 경우를 파란색으로 색칠해 보세요.

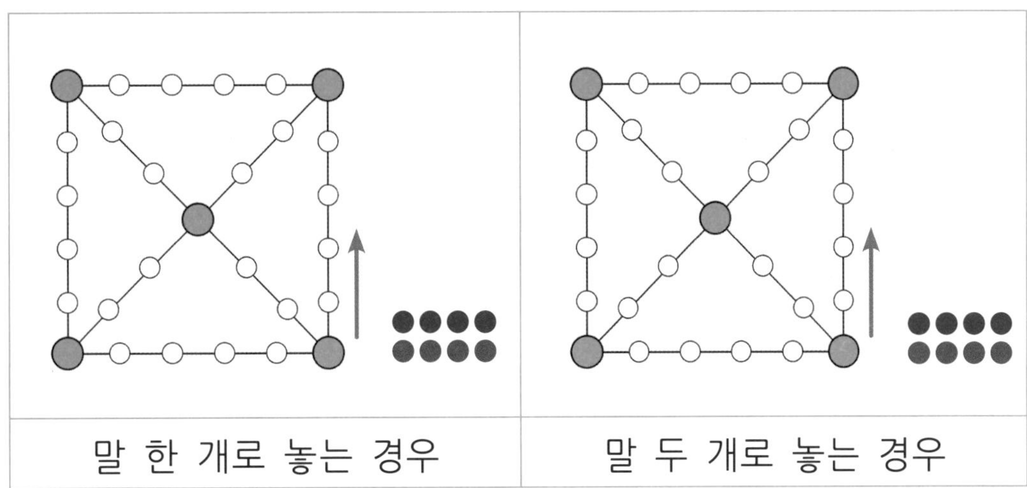

말 한 개로 놓는 경우
말 두 개로 놓는 경우

6. 파란 편 차례입니다. 개가 나오면 어떻게 말을 놓을 수 있나요?

(,)

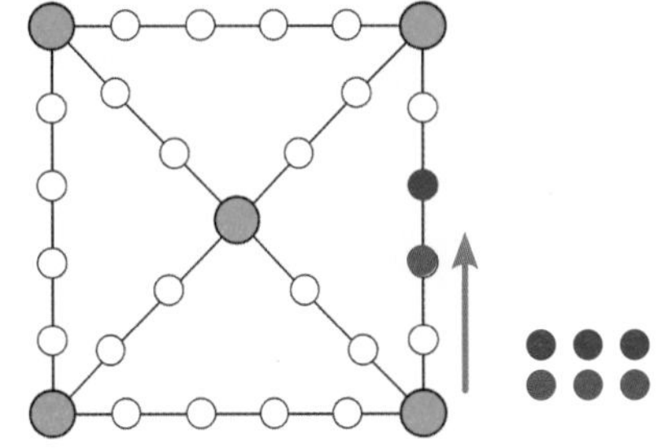

① 새로 놓는 파란 말로 빨간 말을 잡는다.	② 원래 있던 파란 말을 두 칸 간다.	③ 새로 놓는 말을 빨간 말과 나란히 놓는다.
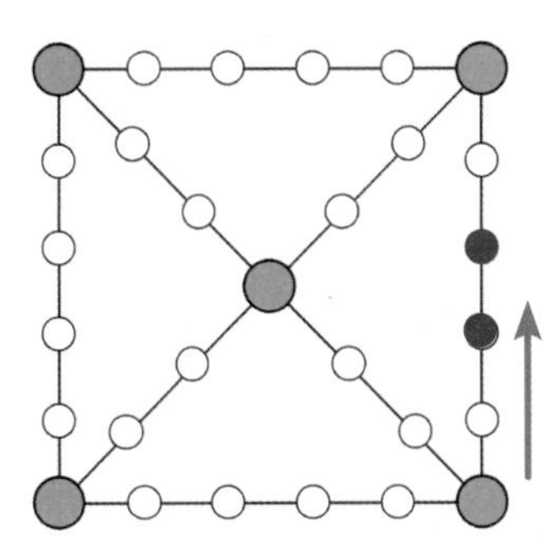	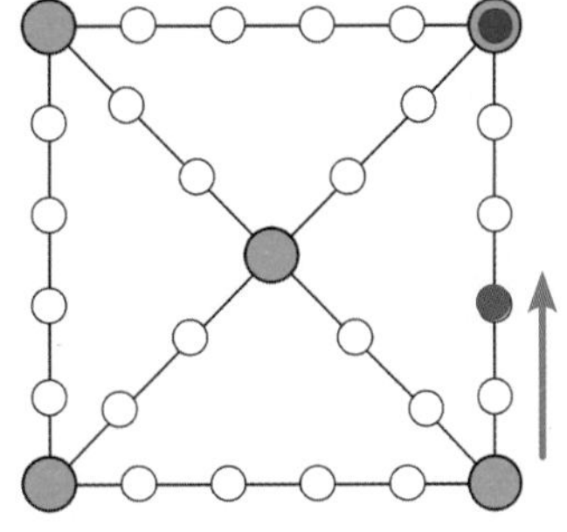	

월 일 요일 확인

7. 빨간 말이 가장 빠른 길로 가려면 무엇이 나와야 할까요?

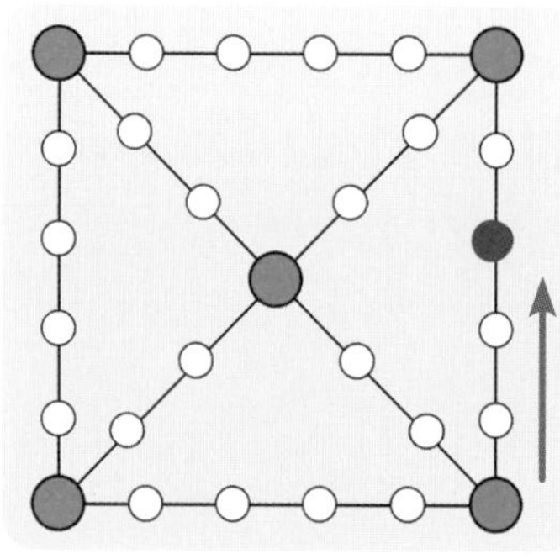

8. 파란 말이 가장 빠른 길로 가려면 무엇이 나와야 할까요?

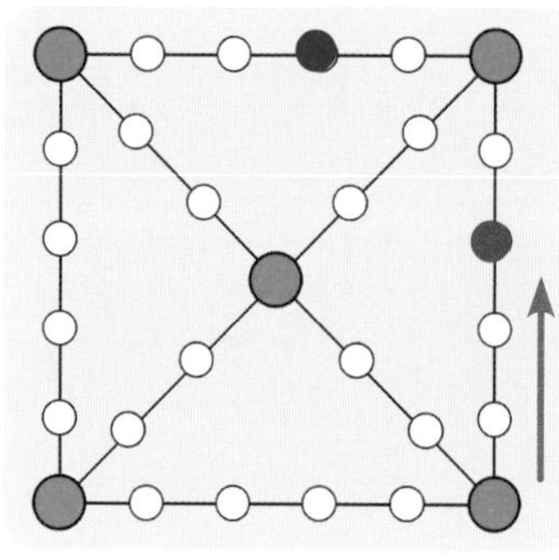

9. 빨간 말이 파란 말을 잡을 수 <u>없는</u> 경우를 찾아보세요. (,)

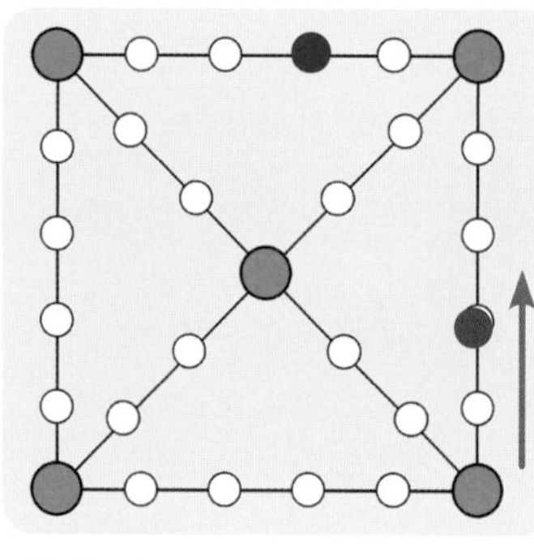

① '모'가 나오면 잡을 수 있다.
② '윷'과 '도'가 순서대로 나오면 잡을 수 있다.
③ '윷'과 '걸'이 나오면 잡을 수 있다.
④ '걸'과 '개'가 순서대로 나오면 잡을 수 있다.

월 일 요일 확인

뽐내기

가족이나 친구들과 윷놀이를 하고 질문에 답을 써 보세요.

◇ 누구와 했나요?	
◇ 어디에서 했나요?	
◇ 놀이의 결과는 어떻게 되었나요?	
◇ 어떤 점이 가장 재미있었나요?	

위에 쓴 내용을 바탕으로 윷놀이에 대한 짧은 글을 써 보세요.

제목 :

월 일 요일 확인

'ㅣ'와 'ㅟ'와 'ㅢ'가 쓰이는 곳은 달라요. 글자를 읽으며 'ㅣ'는 파란색으로 'ㅟ'는 빨간색으로 'ㅢ'는 초록색으로 ○ 하세요.

희망	귀마개	쉽다	가위
생쥐	티끌	무늬	더위
쉬었다 가자.		잘못을 뉘우쳐요.	
저희끼리 먹었어요.		귤이 시다.	
뒤로 돌아.		알맞게 띄어 쓰세요.	

위 글자를 'ㅣ'와 'ㅟ'와 'ㅢ'로 구분해 다시 써 보세요.

'ㅣ'가 들어간 낱말이나 문장	
'ㅟ'가 들어간 낱말이나 문장	
'ㅢ'가 들어간 낱말이나 문장	

월 일 요일 확인

우리말 약속

잘못 쓰인 글자를 찾아 ○ 하고 바르게 고쳐 써 보세요.

<예시>	시험 문제가 (십다고) 생각했다. ⇨ 시험 문제가 쉽다고 생각했다.
눈에 (티)끌만 한 먼지가 들어가 눈물이 났다. ⇨ 눈에 ________가 들어가 눈물이 났다.	
선생님이 장래 히망을 생각해보라고 하셨다. ⇨	
왜 너히끼리만 노니? ⇨	
띠어쓰기를 잘못해서 틀렸다. ⇨	
식초를 너무 많이 넣었더니 비빔국수가 쉬다. ⇨	
산에 올라가다 너무 힘들어서 벤치에서 시었다. ⇨	

우리말 약속

월 일 요일 확인

바르게 쓴 낱말을 골라 ○ 하세요.

이번 여름 (더이 / 더위 / 더의)는 20년 만에 제일 심하다.
동물원에서 (당나기 / 당나긔 / 당나귀)를 보았다.
거짓말한 것을 (니우쳤다 / 늬우쳤다 / 뉘우쳤다).
우리 모둠은 (무늬 / 무니 / 무뉘) 꾸미기에서 일등을 했다.
문제가 (쉬워서 / 시워서 / 싀워서) 금방 풀었다.
우리는 (가의바위보 / 가위바위보 / 가이바이보)를 했다.
떡이 (싀워서 / 시워서 / 쉬어서) 맛이 이상했다.
한글을 만드신 세종대왕은 (의대하다 / 위대하다 / 이대하다).
내 (디 / 듸 / 뒤)에 누가 따라오는 것 같아.
바닷물이 배를 (휩쓸고 / 힙쓸고 / 힓쓸고) 갔다.
할아버지께서 (기한 / 귀한 / 긔한) 선물을 주셨다.
여름에는 나무 (잎사귀 / 잎사긔 / 잎사기)가 싱그럽다.
도서 반납(기한 / 귀한 / 긔한)을 지켜야 한다.

월 일 요일 확인

우리말 약속

'ㅚ'와 'ㅙ'와 'ㅞ'가 쓰이는 곳은 달라요. 글자를 읽으며 'ㅚ'는 파란색으로, 'ㅙ'는 빨간색으로, 'ㅞ'는 초록색으로 ○ 하세요.

훼방	왜가리	외출	궤짝
괴롭다	돼지	된장	후회
소방관이 되고 싶다.		외로워서 울었다.	
괜찮아		왜 그러니?	
자연을 훼손하지 마세요.		넌 최고야.	

위 글자를 'ㅚ'와 'ㅙ'와 'ㅞ'로 구분해 다시 써 보세요.

'ㅚ'가 들어간 낱말이나 문장	
'ㅙ'가 들어간 낱말이나 문장	
'ㅞ'가 들어간 낱말이나 문장	

우리말 약속

월 일 요일 확인

잘못 쓰인 글자를 찾아 ○ 하고 바르게 고쳐 써 보세요.

<예시>	거짓말한 것을 (후홰)했다 ⇨ 거짓말한 것을 후회했다.
친구에게 사과했더니 (괜찮다고) 말했다. ⇨ 친구에게 사과했더니 ______________ 말했다.	
언젠가는 꼭 축구선수가 돼고 말겠다. ⇨	
엄마는 나에게 쵀고라고 말해주었다. ⇨	
아기되지가 정말 귀여웠다. ⇨	
아침에 아빠랑 산책하러 잠시 왜출했다. ⇨	
외냐하면 내가 크기 때문이다. ⇨	

월 일 요일 확인

우리말 약속

바르게 쓴 낱말을 골라 ○ 하세요.

자연을 (회손 / 훼손 / 홰손)해서는 안 된다.
엄마가 (스왜터 / 스외터 / 스웨터)를 빨아주셨다.
우리는 (외국 / 왜국 / 웨국)에 가 본 적이 없다.
얘들아, (왼쪽 / 욋쪽 / 웬쪽)으로 가거라.
빵이 다 (되었는지 / 돼었는지 / 뒈었는지) 보아라.
동물을 (괴롭히지 / 괘롭히지 / 궤롭히지) 마세요.
엄마가 (됀장찌개 / 뒌장찌개 / 된장찌개)를 끓여주셨다.
아빠가 (되지고기 / 뒈지고기 / 돼지고기)를 사오셨다.
사또가 (좨인 / 죄인 / 줴인)을 곤장으로 치라고 했다.
머리뼈는 (뇌 / 눼 / 뇌)를 보호한다.
맛있으니 (후회 / 후훼 / 후홰)하지 말고 먹어 봐.
걔는 (외 그런지 / 왜 그런지 / 웨 그런지) 모르겠다.
우리 아빠가 (췌고다 / 최고다 / 쵀고다).

우리말 약속

월 일 요일 확인

그림을 보고 알맞은 낱말을 쓰세요.

	무거운 [ ] 을 [ ] 산에 올라갔다.		
	나뭇잎을 자세히 [ ] 했다.		
	일요일에 아빠와 [ ] 를 했다.		
	설날에 할아버지께 [ ] 를 했다.		
	어제 밤늦게까지 [ ] 를 했다.		
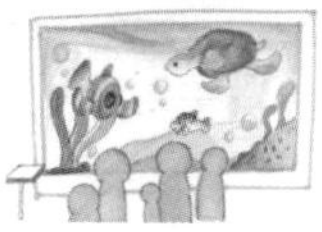	우리 가족은 일요일에 [ ] 에 다녀왔다.		
	나는 커서 [ ] 가 되고 싶다.		
	아침 봉사활동으로 [ ] 를 [ ].		

선생님께 한마디 ㅔ, ㅐ, ㅖ, ㅘ, ㅝ, ㅚ가 들어간 글자쓰기를 연습할 수 있도록 제시한 문제입니다.

우리말 약속

월 일 요일 [확인]

그림을 보고 선생님이 부르는 문장을 써 보세요.

	1. 오늘 준비물은 ________________
	2. 긴 줄을 넘을 때는 ________________
	3. 체육선생님께 ________________
	4. 부모님께 드릴 ________________
	5. 얼음판에서 ________________
	6. 시냇물에서 ________________
	7. 한옥마을에서 ________________
	8. 일요일에 ________________
	9. 우리 동네에는 ________________
	10. 날씨가 ________ 선풍기를 ________

1. 오늘 준비물은 배드민턴 채입니다. **2.** 긴 줄을 넘을 때는 높이 뛰어라. **3.** 체육선생님께 열쇠를 받아오너라. **4.** 부모님께 드릴 카네이션을 만들었다. **5.** 얼음판에서 스케이트를 탔다. **6.** 시냇물에서 올챙이를 잡았다. **7.** 한옥마을에서 기와집을 보았다. **8.** 일요일에 실내화를 빨았다. **9.** 우리 동네에는 우체국이 있습니다 **10.** 날씨가 더워서 선풍기를 쐬었다.

도서관 안내문 읽기

푸른꿈 도서관 이용 안내

♥ 이용 시간

평 일	오전 9:00 ~ 오후 10:00
주 말	오전 9:00 ~ 오후 5:00
휴 관 일	첫째 · 셋째 주 월요일, 법정공휴일

♥ 도서 대출 안내

대출 권수	1인당 3권까지 가능
대출 기간	14일(2주), 연장 불가능

♥ 주의 사항

1. 다른 사람이 독서하는 데 방해되지 않도록 정숙해 주십시오.
2. 도서를 열람한 후 반드시 제자리에 꽂고, 제자리를 모를 때는 책수레에 놓아 주십시오.
3. 대출된 도서가 연체되면 연체일수만큼 대출이 중지됩니다.
4. 책을 분실하였을 때는 동일 도서로 변상해야 합니다.
5. 도서관의 책과 물품들을 깨끗하고 소중히 다뤄주십시오.

푸른꿈 도서관

월 일 요일 확인

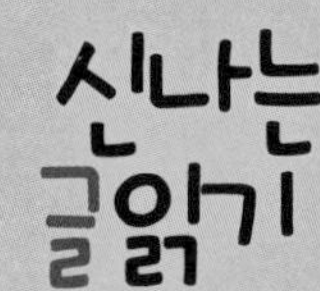

글마중을 다시 읽고 빈칸을 알맞게 채우세요.

푸른꿈 도서관 이용 안내

♥ 이용 시간

평 일: ______ ~ ______

주 말: ______ ~ ______

휴관일: ______ , ______

♥ 도서 대출 안내

대출 권수: ______ 가능

대출 기간: ______ , 연장 ______

월 일 요일 확인

다음을 읽고 알맞은 답을 고르거나 쓰세요.

푸른꿈 도서관 이용 안내

♥ 이용 시간

평 일	오전 9:00 ~ 오후 10:00
주 말	오전 9:00 ~ 오후 5:00
휴 관 일	첫째 · 셋째 주 월요일, 법정공휴일

♥ 도서 대출 안내

대출 권수	1인당 3권까지 가능
대출 기간	14일(2주), 연장 불가능

1. 푸른꿈 도서관이 쉬는 날은 언제인가요?

____

2. '평일'은 언제인지 요일을 모두 쓰세요.

____

____

월 일 요일 확인

이야기 돋보기

3. 이번 주 토요일에 푸른꿈 도서관에 가려고 합니다. 도서관을 이용할 수 있는 시간은 언제인가요? (,)

① 오전 8:30 ② 오전 10:30
③ 오후 3:00 ④ 오후 6:30

4. 책은 1인당 몇 권까지 빌릴 수 있나요? ____________

5. 도서관에서 12월 3일에 책을 빌렸습니다. 언제까지 책을 반납해야 할까요? ( )

① 12월 5일까지
② 12월 13일까지
③ 12월 16일에만
④ 12월 17일까지

12월						
일	월	화	수	목	금	토
	1	2	③	4	5	6
7	8	9	10	11	12	13
14	15	16	17	18	19	20
21	22	23	24	25	26	27
28	29	30	31			

6. '연장 불가능'이란 무슨 뜻일까요? ( )

① 도서관을 이용할 수 없음 ② 도구를 사용할 수 없음
③ 다시는 책을 빌릴 수 없음 ④ 같은 책을 더 오래 빌릴 수 없음

7. 이 글에서 알 수 있는 내용은 무엇인가요? (,)

① 도서관에 가는 방법 ② 도서관 이용 시간
③ 도서관에 있는 책 종류 ④ 도서관에서 책을 대출할 수 있는 기간

이야기 돋보기

월 일 요일 확인

다음 글을 읽고 알맞은 답을 고르거나 쓰세요.

♥ 주의 사항

1. 다른 사람이 독서하는 데 방해되지 않도록 정숙해 주십시오.
2. 도서를 열람한 후 반드시 제자리에 꽂고, 제자리를 모를 때는 책수레에 놓아 주십시오.
3. 대출된 도서가 연체되면 연체일수만큼 대출이 중지됩니다.
4. 책을 분실하였을 때는 동일 도서로 변상해야 합니다.
5. 도서관의 책과 물품들을 깨끗하고 소중히 다뤄주십시오.

푸른꿈 도서관

1. 무엇을 안내하는 글인가요? ( )

① 책을 광고하는 글
② 푸른꿈 도서관에서 지킬 일을 안내하는 글
③ 책을 대출하는 방법을 알리는 글
④ 독서의 중요성을 알리는 글

2. 책을 읽은 후 제자리를 모를 때에는 어떻게 해야 할까요?( )

① 그냥 책상 위에 둔다.
② 아무 곳이나 책장에 꽂는다.
③ 사서 선생님께 갖다 드린다.
④ 책수레에 놓는다.

3. 도서관에서 '정숙'해야 하는 이유는 무엇일까요?

월 일 요일 확인

이야기 돋보기

4. 도서관에서 빌린 책을 잃어버렸습니다. 어떻게 해야 할까요? (   )

① 다시는 그 도서관에 가지 않는다.
② 미안하다고 사과만 한다.
③ 똑같은 책을 사가지고 가서 죄송하다고 말한다.
④ 집에 있는 다른 책을 가져가 죄송하다고 말한다.

5. 도서관에서 바른 행동을 한 친구는 누구인가요? (   )

① 대한: 큰 소리로 책을 읽었다.
② 민국: 다 읽은 책을 아무데나 꽂아 두었다.
③ 만세: 읽고 싶은 책을 골라 조용히 읽었다.
④ 사랑: 책에서 마음에 드는 그림을 찢어 가졌다.

6. 뜻이 같은 것끼리 연결하세요.

정숙해 주십시오. •	• 책을 잃어버렸을 때는
대출된 도서가 연체 되면 •	• 조용히 해 주십시오.
연체일수만큼 대출이 정지됩니다. •	• 빌린 책을 정해진 날짜까지 가져오지 않으면
책을 분실했을 때는 •	• 책을 읽은 후에는
동일 도서로 변상하여야 합니다. •	• 늦어진 날만큼 책을 빌릴 수 없습니다.
도서를 열람한 후에는 •	• 같은 책을 사와야 합니다.

낱말 창고

월 일 요일 확인

'도서관'과 관련된 낱말을 알아봅시다. <보기>에서 알맞은 낱말을 찾아 빈칸에 쓰세요.

	도서관에서 책을 정리하고 대출하는 등 도서관을 관리하는 사람
	도서관에서 책을 빌리거나 빌려주는 것
	정해진 기간 안에 내거나 돌려주지 못하는 것
	책을 잃어버림
	도서관에 책을 다시 돌려줌
	책, 자료를 읽거나 훑어보는 것
	도서관이 쉼
	기간을 본래보다 길게 늘임
	도서관 운영시간이 아닐 때 책을 반납하는 곳

<보기> 반납 대출 사서 휴관 연장 연체 분실 열람 도서반납함

월 일 요일 확인

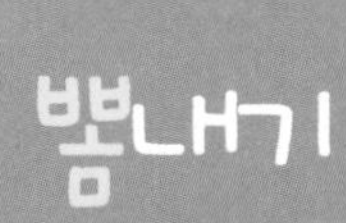

우리 학교 도서관 이용 안내문을 읽고 빈칸을 채워 보세요.

___________ 도서관

♥ 이용 시간

평 일	
주 말	
휴 관 일	

♥ 도서 대출 안내

대출 권수	
대출 기간	

♥ 주의 사항

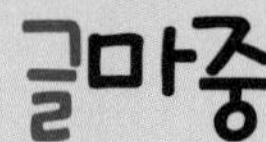

광고 전단지 읽기

음악줄넘기 특강 안내

"자녀의 뱃살이 걱정되십니까?"

"키가 작아서 고민이십니까?"

◎ 음악줄넘기의 효과

- **다이어트:** 신체 모든 군살이 쏙쏙 빠집니다.
- **성장효과:** 점핑운동으로 키가 쑥쑥 큽니다.
- **기초체력:** 지구력과 순발력을 키울 수 있습니다.
- **수행평가:** 줄넘기급수인증제에 큰 도움이 됩니다.

◎ 음악줄넘기 수업안내

교육일자	교육시간	수강료	인원
주 2회 (화, 목)	오후 6시~7시	2개월(8주): 9만원 1개월(4주): 5만원	선착순 25명

★2개월 등록 수련생을 위한 특전★

줄넘기 클럽 티셔츠와 개인용 줄넘기 증정

좔좔태권도

544-7788(상시차량운행)

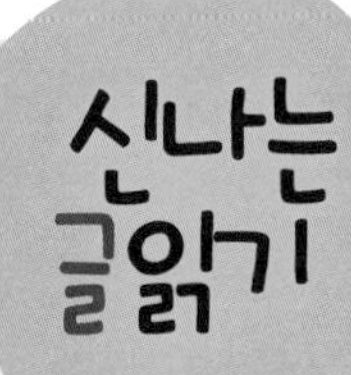

월 일 요일 확인

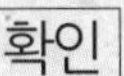

글마중을 읽고 물음에 답하세요.

다른 사람에게 알리기 위해 만든
글이나 사진, 영상을 **광고**라고 합니다.

◇ 무엇을 광고하는 내용인가요?

◇ 어디에서 만든 광고인가요?

◇ 글마중처럼 광고를 한 까닭은 무엇일까요?

이야기 돋보기

월 일 요일 확인

다음 글을 읽고 알맞은 답을 고르거나 쓰세요.

〈음악줄넘기 특강 안내〉

"자녀의 뱃살이 걱정되십니까?"
"키가 작아서 고민이십니까?"

◎ 음악줄넘기의 효과

- 다이어트: 신체 모든 군살이 쏙쏙 빠집니다.
- 성장효과: 점핑운동으로 키가 쑥쑥 큽니다.
- 기초체력: 지구력과 순발력을 키울 수 있습니다.
- 수행평가: 줄넘기급수인증제에 큰 도움이 됩니다.

1. 무엇을 안내하는 글인가요?

_______________ 특강 안내

2. 광고 내용으로 볼 때 음악줄넘기를 하면 좋은 사람 둘을 골라 보세요. (,)

① 지영: 키가 작아서 고민이다.
② 민주: 나쁜 사람으로부터 나의 몸을 지키고 싶다.
③ 경진: 요즘 자꾸 뱃살이 나와서 걱정이다.
④ 주희: 우리 반 이어달리기 대표로 나가고 싶다.

월 일 요일 확인

3. 다음은 전단지에 나온 음악줄넘기 효과입니다. 알맞게 연결하세요.

다이어트 효과 •	• 지구력과 순발력을 키운다.
기초체력 증진 •	• 군살이 쏙쏙 빠진다.
성장 효과 •	• 줄넘기 급수를 따는 데 도움이 된다.
수행평가 대비 •	• 키가 쑥쑥 큰다.

4. 다음 낱말을 국어사전이나 인터넷 사전에서 찾아 뜻을 써 보세요.

다이어트	
지구력	
순발력	

이야기 돋보기

월 일 요일 확인

다음 글을 읽고 알맞은 답을 고르거나 쓰세요.

◎ 음악줄넘기 수업안내

교육일자	교육시간	수강료	인원
주 2회 (화, 목)	오후 6시~7시	2개월(8주): 9만원	선착순 25명
		1개월(4주): 5만원	

★2개월 등록 수련생을 위한 특전★

줄넘기 클럽 티셔츠와 개인용 줄넘기 증정

좔좔태권도

544-7788(상시차량운행)

1. 전단지와 다른 내용은 무엇인가요? ( )

① 주 2회 수업을 한다. ② 화요일과 목요일에 수업이 있다.
③ 수업시간은 오후 6시~7시이다.
④ 1개월 수강료는 9만원이다.

2. 2개월을 등록하면 좋은 점은 무엇인가요? (, ,)

① 수강료를 할인해 준다. ② 개인용 수건을 준다.
③ 줄넘기 클럽 티셔츠를 준다. ④ 개인용 줄넘기를 준다.

3. 자세히 문의하고 싶을 때 어디에 전화하면 될까요? ______________

4. 좔좔태권도를 오고 갈 때 차를 이용할 수 있다고 합니다. 전단지에서 어떤 문구를 보고 이 사실을 알게 되었을까요? 글마중에서 찾아서 밑줄을 그으세요.

월 일 요일 확인

주변에서 광고지(전단지)를 찾아서 붙이고 무엇에 대한 광고인지 써 보세요.

<무엇에 대한 광고인가요?>

월 일 요일 확인

'아나바다' 장터에 사용할 광고지를 만들어 보세요.

◎ 팔려는 물건은 무엇인가요?	
◎ 가격은 얼마인가요?	
◎ 팔려는 물건의 특징을 써 보세요.	
◎ 사는 사람에게 강조하고 싶은 내용을 적어 보세요.	

놀이터 안내문 읽기

글마중

놀이기구 이용 안전수칙

 그네	• 그네가 완전히 정지한 후에 타고 내리세요. • 그네줄을 꼬지 말고 타세요. • 배를 깔고 엎드려서 타지 마세요. • 한 그네에 한 사람만 타세요.
 미끄럼틀	• 올라갈 때는 손잡이를 꼭 잡고 올라가세요. • 앞사람이 끝까지 내려간 다음에 타세요. • 미끄럼틀로 올라가지 말고, 계단을 이용해 올라가세요. • 엎드리거나 서서 타지 말고 앉아서 타세요.
 시소	• 시소 위에 서 있거나 뛰지 마세요. • 시소 위를 걸어 다니지 마세요. • 두 손으로 손잡이를 꼭 잡고 타세요. • 내릴 때는 짝에게 미리 알리고 내려오세요.
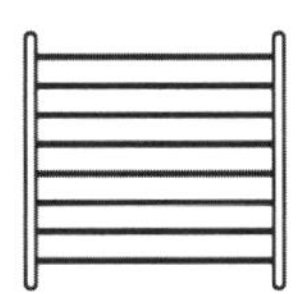 늑목	• 두 손을 사용하여 오르내리세요. • 시설이 비에 젖었거나 햇볕이 뜨거울 때는 이용하지 마세요. • 꼭대기에 거꾸로 매달리지 마세요. • 뛰어내리지 말고 안전하게 내려오세요.
좔좔구청 공원관리사무소 (☎02-567-1233)	

이야기 돋보기

월 일 요일 확인

글마중 글을 읽고 알맞은 답을 고르거나 쓰세요.

1. 어떤 곳에서 볼 수 있는 안내표지판인가요?

____

2. 안내표지와 안전수칙을 알맞게 연결해 보세요.

- 내릴 때는 짝에게 꼭 알리고 내려오세요.
- 한 사람만 타세요.
- 앞사람이 끝까지 내려간 다음에 타세요.
- 꼭대기에 거꾸로 매달리지 마세요.

3. 다음 중 그네를 바르게 이용한 학생은 누구인가요? ······ (　　　　)

① 영희: 철수야, 그네로 꽈배기 탈래? 내가 5바퀴 돌려줄게.
② 우주: 태양아, 같이 그네탈까? 네가 앉아. 내가 서서 탈게.
③ 민희: 경원아, 그네에 앉아. 내가 그네 밀어줄게.
④ 광수: 그네는 역시 엎드려서 타는 게 최고라니까!

월 일 요일 확인

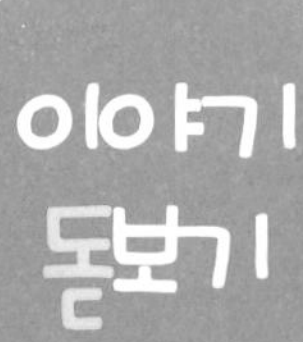

4. 다음은 미끄럼틀을 바르게 이용하는 방법입니다. 빈칸에 들어갈 알맞은 낱말이나 문장을 써 보세요.

- 올라갈 때는 [   ]을(를) 꼭 잡고 올라가세요.
- 앞사람이 끝까지 내려간 다음에 타세요.
- 미끄럼틀로 올라가지 말고, [   ]을(를) 이용하여 올라가세요.
- 엎드리거나 서서 타지 말고 [   ] 타세요.

5. 어떤 놀이기구의 안전수칙일까요? 빈칸에 알맞게 써 보세요.

안전수칙	놀이기구
내릴 때는 짝에게 미리 알리고 내려오세요.	
두 손을 사용하여 오르내리세요.	
완전히 정지한 후에 타고 내리세요.	
계단을 이용하여 올라가세요.	

6. 아래 안내표지를 보고 질문에 답하세요.

(1) 어떤 놀이기구를 나타내는 안내표지일까요?

____

(2) 안전수칙 한 가지를 생각하여 써 보세요.

____

월 일 요일 확인

다음 안내표지가 어떤 뜻을 나타내고 있는지 연결해 보세요.

 • • 미아보호소

• • 분리수거 - 종이류

• • 분실물 보관소

• • 휴대전화 진동사용

• • 표 사는 곳

 • • 약국

 • • 반려동물은 목줄을 매시오

 • • 짐 맡기는 곳 (수하물 보관소)

 • • 비상구

 다음 안내표지가 어떤 뜻을 가지고 있는지 써 보세요.

〈예시〉  에스컬레이터

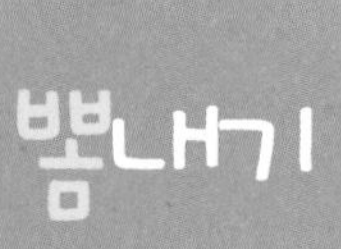

월 일 요일 확인

우리 학교나 동네에서 안내표지를 찾아 그림을 그리거나 사진을 찍어서 붙여 보세요.

월 일 요일 확인

뽐내기

'금지'의 뜻을 나타내는 나만의 안내표지를 만들어 보세요.

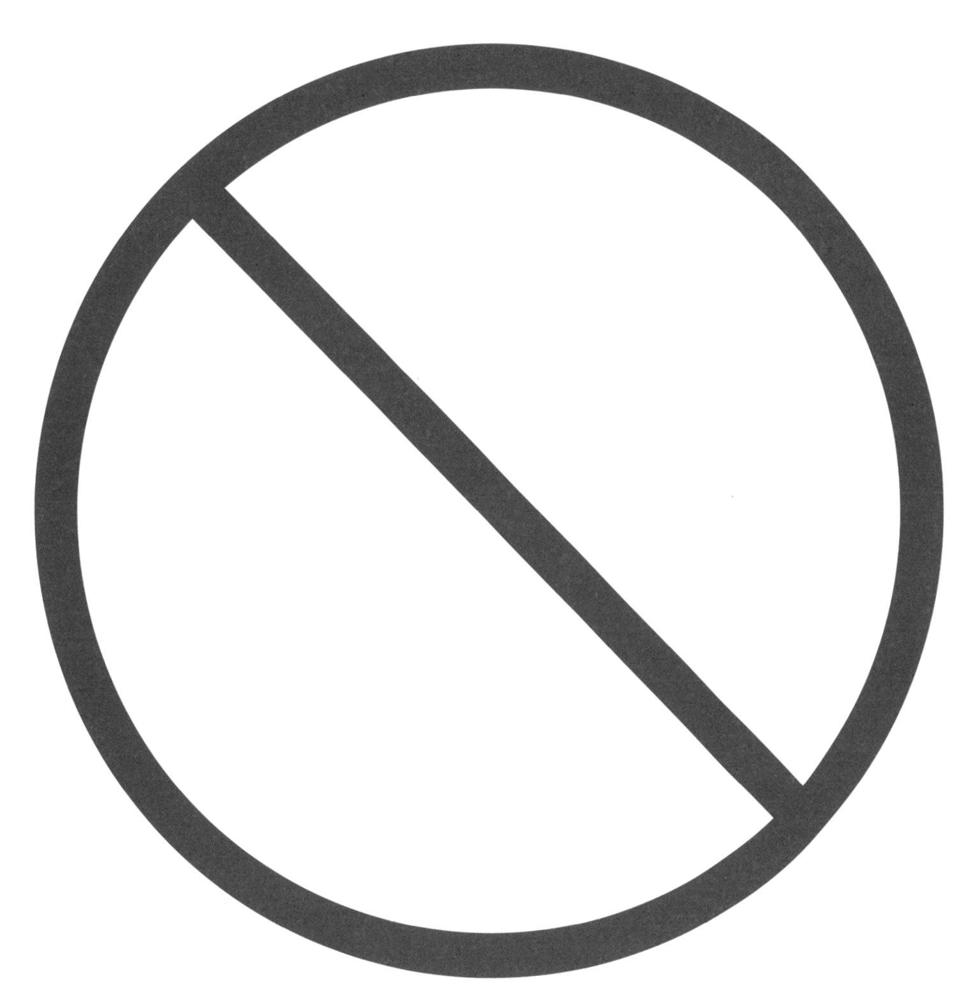

글마중

지하철 안내문 읽기

지하철 이용 예절

1. 무리해서 타지 않고 안전하게 승차하기	2. 이동 상인에게 물건 사지 않기	3. 어린이 동반자, 임산부, 장애인에게 자리 내어 주기
		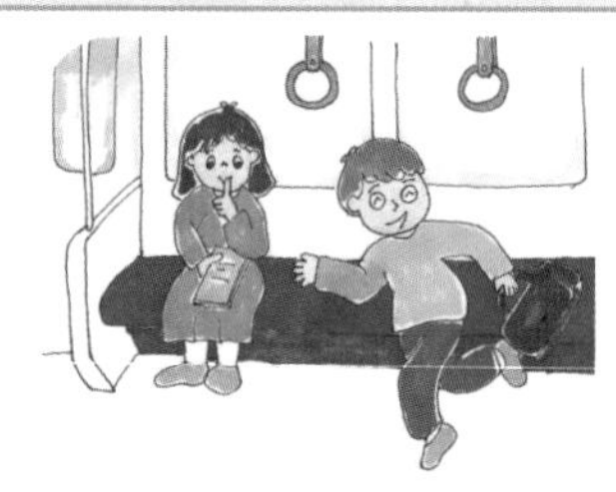
4. 에스컬레이터는 두줄로 서서 이용하기	5. 먼저 내리고 나중에 타기	6. 뛰거나 큰 소리로 떠들지 않기

7. 부정승차 하지 않기	8. 휴대전화는 진동으로, 통화는 작은 소리로 하기	9. 통로나 계단에서 오른쪽으로 걷기
	10. 휴대전화 보면서 이동하지 않기	

〈지하철 이용 예절〉

1. 무리해서 타지 않고 안전하게 승차하기
2. 이동 상인에게 물건 사지 않기
3. 어린이 동반자, 임산부, 노약자, 장애인에게 자리 내어주기
4. 에스컬레이터는 두 줄로 서서 이용하기
5. 먼저 내리고 나중에 타기
6. 뛰거나 큰 소리로 떠들지 않기
7. 부정승차 하지 않기
8. 휴대전화는 진동으로, 통화할 땐 작은 소리로 하기
9. 통로나 계단에서는 오른쪽으로 걷기
10. 휴대전화 보며 이동하지 않기

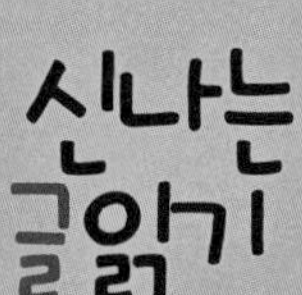

월 일 요일 확인

글마중을 읽고 아래 표에서 맞는 것에 ○ 하세요.

지하철에 타고 있던 승객이 먼저 내리고 나중에 탄다.	
열차 문이 닫힐 때는 문을 잡고 빨리 탄다.	
어린이 동반자에게는 자리를 양보할 필요가 없다.	
지하철에서는 시끄럽기 때문에 큰 소리로 통화해도 된다.	
지하철에서 파는 물건은 가격이 싸기 때문에 사야 된다.	
바쁜 사람이 빨리 가도록 에스컬레이터는 한 줄로 탄다.	
보호자와 함께 지하철을 타면 요금을 내지 않아도 된다.	
휴대전화를 보면서 걸으면 사고가 날 수 있다.	
통로나 계단에서는 왼쪽으로 걷는다.	
지하철에서는 서로 예절을 지켜야 한다.	

다음 설명을 읽고 글마중의 밑줄 친 낱말 중에서 찾아 쓰세요.

돈을 안 내거나 정해진 요금보다 적게 내고 지하철을 타는 것	
어린이와 함께 있는 사람	
일정한 가게 없이 옮겨 다니며 물건을 파는 사람	

월 일 요일 확인

이야기 돋보기

다음 글을 읽고 알맞은 답을 고르거나 쓰세요.

〈지하철 이용 예절〉

1. 무리해서 타지 않고 안전하게 승차하기
2. 이동 상인에게 물건 사지 않기
3. 어린이 동반자, 임산부, 장애인에게 자리 내어주기
4. 에스컬레이터는 두 줄로 서서 이용하기
5. 먼저 내리고 나중에 타기

1. 어디에서 지켜야 할 예절인가요? ____________________

2. 그림과 어울리는 내용을 찾아 연결해 보세요.

	•	• 무리해서 타지 않고 안전하게 승차하기
	•	• 먼저 내리고 나중에 타기
	•	• 이동 상인에게 물건 사지 않기
	•	• 에스컬레이터는 두 줄로 서서 이용하기
	•	• 어린이 동반자, 임산부, 장애인에게 자리 내어주기

이야기 돋보기

월 일 요일 확인

3. 다음 그림이 의미하는 지하철 이용 예절을 써 보세요.

____

4. 에스컬레이터를 탈 때 두 줄로 타야하는 이유가 <u>아닌</u> 것은? (   )

① 한 줄로 타면 오른쪽으로만 무게가 실려 고장이 나기 때문에
② 에스컬레이터에서 걷거나 뛸 때 사고가 발생하기 때문에
③ 한 줄로 타면 바쁜 사람은 먼저 갈 수 있어서
④ 두 줄로 타면 걷거나 뛰지 못하므로 더 안전하기 때문에

5. 다음 기사를 읽고 지하철에서 무엇을 지켜야 하는지 〈지하철 이용 예절〉 중 골라 써 보세요.

"초등학생, 전동차 스크린도어 사이에 끼여 다쳐"

지난 25일 4호선 사당역에서 초등학생 이모(11·여)양이 열차와 스크린도어 사이 틈새에 끼어 2m가량 끌려가다 부상당했다. 이 양은 뒤늦게 열차에 탑승하려고 열차 문 사이로 우산을 들이밀었다. 그런데 문이 그대로 닫히자 우산을 빼려고 하다가 열차와 함께 끌려간 것으로 확인됐다.

____

6. 다음을 읽고 맞으면 ○, 틀리면 X 하세요.

원활한 승하차를 위해 먼저 타고 나중에 내린다.	
열차 문이 닫힐 때는 안전을 위해 다음 차를 기다린다.	
어린이 동반자, 임산부, 장애인에게 자리를 양보한다.	
에스컬레이터를 탈 때 한 줄로 서서 이용한다.	
이동 상인에게 물건을 사지 않는다.	

월 일 요일 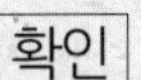

이야기 돋보기

다음 글을 읽고 알맞은 답을 고르거나 쓰세요.

6. 뛰거나 큰 소리로 떠들지 않기
7. 부정승차하지 않기
8. 휴대전화는 진동으로, 통화할 땐 작은 소리로 하기
9. 통로나 계단에서는 오른쪽으로 걷기
10. 휴대전화 보며 이동하지 않기

1. 그림과 어울리는 내용을 찾아 연결해 보세요.

- 부정승차 하지 않기
- 통로나 계단에서 오른쪽으로 걷기
- 뛰거나 큰 소리로 떠들지 않기
- 휴대전화 보며 이동하지 않기
- 휴대전화는 진동으로, 통화는 작은 소리로 하기

이야기 돋보기

월 일 요일 확인

2. 휴대전화를 보면서 이동하면 안 되는 이유를 한 가지만 써 보세요.

____

3. 다음 안내문의 내용과 다른 것은 무엇인가요? ( )

부정승차 집중단속을 실시합니다.

단속대상

- 비상게이트를 무단으로 이용하는 경우
- 타인의 우대용 교통카드 또는 학생카드 부정사용
- 승차권 없이 승차 또는 하차하는 경우

부정승차 시 승차구간 운임과 그 30배의 부가금 징수

서울도시철도

① 서울도시철도에서 부정승차를 단속한다는 내용이다.
② 승차권 없이 지하철을 타면 벌금을 내야한다.
③ 어른이 학생카드를 사용하는 것은 부정승차이다.
④ 승차권이 없으면 비상게이트로 그냥 나오면 된다.

4. 다음을 읽고 맞으면 ○, 틀리면 X 하세요.

지하철에서 다른 사람을 방해하지 않도록 작은 소리로 통화한다.	
지하철을 이용할 때 알맞은 요금을 내야한다.	
길을 잘 알면 휴대전화를 보면서 걸어도 된다.	
통로나 계단에서는 왼쪽으로 걷는다.	
지하철은 공공장소이므로 뛰어다녀도 된다.	

 월 일 요일  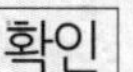 확인

<예시>와 같이 지하철에서 지켜야 할 예절에 대해 쓰고 어울리는 그림을 그려 보세요.

<예시>

1. 어떤 상황인가요?

아저씨가 다리를 벌리고 앉아 있어요.

2. 어떤 문제가 있을까요?

자리가 좁아서 옆 사람이 불편해요.

3. 지켜야 할 예절은 무엇인가요?

지하철에서는 다리를 모으고 앉습니다.

1

1. 어떤 상황인가요?

어떤 오빠가 이어폰을 안 끼고 영화를 보고 있어요.

2. 어떤 문제가 있을까요?

3. 지켜야 할 예절은 무엇인가요?

지하철에서

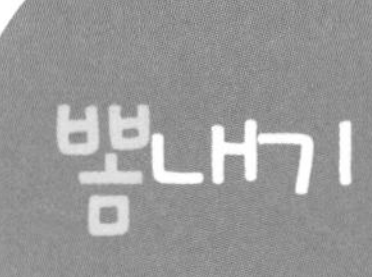

월 일 요일 확인

2

1. 어떤 상황인가요?

어떤 언니가 음식을 먹고 있어요.

2. 어떤 문제가 있을까요?

3. 지켜야 할 예절은 무엇인가요?

지하철에서

여러분이 지하철에서 겪은 불편한 상황을 떠올려 보세요. 그럴 때 지켜야 할 예절에 대해 쓰고, 어울리는 그림을 그려 보세요.

1. 어떤 상황인가요?

2. 어떤 문제가 있을까요?

3. 지켜야 할 예절은 무엇인가요?

월 일 요일 확인

읽을 때와 쓸 때가 달라요.

받침 뒤에 모음이 오는 글자를 읽을 때는 앞의 받침소리를 뒷글자로 넘겨 발음합니다. 하지만 쓸 때는 앞글자의 받침으로 씁니다.

읽을 때	쓸 때
공노리	공놀이

읽을 때와 쓸 때 달라지는 글자입니다. 바르게 써 보세요.

	읽을 때	쓸 때
	으막	음 악
	어름	얼 음
	나겹	
	무너	
	보끔밥	
	차뫼	
	달마지	
	거부기	

우리말 약속

월 일 요일 확인

바르게 쓰인 낱말을 찾아 ○ 하세요.

	거울을 (깨끄시 / 깨끗이) 닦아라.
	밤새도록 이가 (아팠어요 / 아파써요).
	꼬마야 꼬마야 땅을 (지퍼라 / 짚어라).
	개가 큰 소리로 (짖었어요 / 지젔어요).
	장갑 속에 (들어가도 / 드러가도) 되니?
	너무 (맛있었어요 / 마시써써요).
	(오이바테서 / 오이밭에서) 오이를 따오너라.
	우리 강아지를 (차자 주세요 / 찾아 주세요).
	세현이는 (잎을 / 이플) 관찰합니다.
	주말 농장에 씨를 (뿌렸어요 / 뿌려써요).
	(수출 / 숯을) 놔두면 공기가 깨끗해진대.

월 일 요일 확인

우리말 약속

잘못 쓰인 글자를 바르게 고쳐 써 보세요.

	물노리 가자.	________ 가자.
	보건시레 갔다 와.	________ 갔다 와.
	장가베서 살까?	________ 살까?
	아기가 우서요.	아기가 ________
	노픈 것은 하늘	________ 것은 하늘
	손을 씨서요.	손을 ________
	너머져서 운다.	________ 운다.
	씨르믈 해요.	________ 해요.
	등사는 힘들다.	________ 힘들다.
	꼬체 벌이 있다.	________ 벌이 있다.

우리말 약속

월 일 요일 확인

잘못 쓰인 글자를 찾아 ○하고 고쳐 써 보세요.

〈예시〉	가을이 되면 (가플) 테니 쌀 좀 빌려주세요. ⇨ 가을이 되면 갚을 테니 쌀 좀 빌려주세요.

1. 샐러드 야채를 모두 (서끄세요.)

⇨ 샐러드 야채를 모두 ____________

2. 학습지에 자기 이름을 저그세요.

⇨

3. 고양이는 도망가는 쥐를 쪼차갔어요.

⇨

4. 간식 시간이니 손을 씨스세요.

⇨

5. 사진을 예쁘게 찌거 주세요.

⇨

6. 먹고 시픈 것을 맘껏 골라라.

⇨

월 일 요일 확인

우리말 약속

그림을 보고 선생님이 부르는 문장을 써 보세요.

	1. 귀신 영화를 봤더니 ____________
	2. 황금 알을 보고 ____________
	3. 할아버지께 ____________
	4. 파란 ____________
	5. 학교에 ____________
	6. 박물관에 가려고 ____________
	7. 헤드폰을 쓰고 ____________
	8. 바람에 ____________
	9. 단이가 벌레를 ____________
	10. 지수는 ____________

1. 귀신 영화를 봤더니 겁이 났다. 2. 황금 알을 보고 신이 났다. 3. 할아버지께 꽃을 드렸다. 4. 파란 대문 앞에 공이 떨어져 있었다. 5. 학교에 꽃을 가져갔다. 6. 박물관에 가려고 지하철을 탔다. 7. 헤드폰을 쓰고 음악을 들었다. 8. 바람에 실려 오는 향기를 맡았다. 9. 단이가 벌레를 잡았다. 10. 지수는 밥을 맛있게 먹었다.

글마중 영화관 안내문 읽기

쫄쫄 시네마박스 영화관람 시간표

2020년 6월 16일 화요일

⑮ 블루 리버 ▶2D 2관 11층(총 200석)

13:10	15:50	19:20
125석	160석	182석

⑫ 쥬라기 시대 ▶3D 3관 10층 (총 250석)

09:50	11:30	14:40
매진	172석	205석

청불 세컨드 ▶2D 1관 11층 (총 120석)

19:40	22:10
53석	80석

※ 관람 시 유의사항

1. 상영관 내 물을 제외한 음료나 음식물의 반입을 금합니다.
2. 본 영화 상영은 정시에 시작하며, 상영 시작 10분 후에는 입장이 제한되니, 상영 시작 전에 미리 입장해 주십시오.
3. 영화 상영 종료 후 불이 켜지면 퇴장해 주십시오.
4. '18세 이상 관람가'는 보호자 동의에 관계없이, 영유아를 포함한 18세 미만 고객의 입장이 불가합니다.

월 일 요일 확인

신나는 글읽기

글마중의 밑줄 친 낱말에서 찾아 낱말퍼즐을 풀어 보세요.

① 상			④ 종		③	
	⑦	②		⑨		
	⑤	장				

<가로 열쇠>	<세로 열쇠>
① 극장에서 영화를 보여 주는 것 ③ 연극, 영화 따위를 구경함 ⑤ 어떤 장소에서 물러남 ⑦ 어떤 곳에 물건을 들여오는 것 ⑨ 가능하지 않음	① 영화를 보여주는 극장 ② 들어감 ③ 관람이 가능함 (예: 15세 ○○○) ④ 어떤 행동이나 일이 끝남

※ **퍼즐** 정답은 173쪽에 있습니다.

글마중의 밑줄 친 낱말에서 찾아 빈칸에 써 넣으세요

1. 일정한 한도를 정해 넘지 못하게 막음 ⇨	☐☐
2. 손님 ⇨	☐☐
3. 정해진 시간 ⇨	☐☐
4. 주의할 내용 ⇨	☐☐☐☐

월 일 요일 확인

다음 글을 읽고 알맞은 답을 고르거나 쓰세요.

짤짤 시네마박스 영화관람 시간표

2020년 6월 16일 화요일

⑮ 블루 리버 ▶2D 2관 11층(총 200석)

13:10	15:50	19:20
125석	160석	182석

⑫ 쥬라기 시대 ▶3D 3관 10층 (총 250석)

09:50	11:30	14:40
매진	172석	205석

1관 11층 (총 120석)

19:40	22:10
53석	80석

1. 영화관람 시간표에서 안내하고 있는 내용에 ○ 하세요.

① 상영하는 영화 프로그램		② 영화 상영 시간	
③ 영화를 볼 수 있는 나이		④ 영화관에 찾아가는 방법	
⑤ 영화를 상영하는 장소		⑥ 남아있는 좌석 수	

월 일 요일 확인

이야기 돋보기

2. 언제 상영하는 영화인가요?

______월 ______일 ______요일

3. ⑮와 ⑫는 무엇을 뜻하는 표시일까요? ( )

① ⑫는 12세 이하만 관람이 가능하다.
② ⑮는 15세 이상만 관람이 가능하다.
③ ⑫는 12세만 관람이 가능하다.
④ ⑮는 15세 이하만 관람이 가능하다.

4. 청불 은 무슨 뜻인가요? (,)

① 청소년은 볼 수 없다.
② 청소년만 볼 수 있다.
③ 만 18세 미만은 볼 수 없다.
④ 가족이 함께 볼 수 있는 영화이다.

5. 영호는 16살입니다. 영호가 볼 수 있는 영화를 모두 고르세요.

⑮ 블루 리버	⑫ 쥬라기 시대	청불 세컨드

6. 진희는 <쥬라기 시대>를 보려고 합니다. 표를 예매할 수 있는 가장 빠른 시간은 언제인가요? ( )

① 09:50 ② 11:30 ③ 14:40 ④ 15:50

이야기 돋보기

월 일 요일 확인

7. 9시 50분에 상영하는 <쥬라기 시대>는 매진이라고 되어 있습니다. '매진'은 무슨 뜻일까요? ( )

① 표가 다 팔려서 영화를 볼 수 없다.
② 표를 팔고 있다.
③ 영화를 더 이상 상영하지 않는다.
④ 표를 빨리 사야 한다.

8. 명지는 <블루 리버>를 보려고 합니다. 어디로 가야 할까요? ( )

① 2관 11층 ② 3관 10층 ③ 1관 11층

9. 미지는 17세이고, 오후 6시 이후에 시간을 낼 수 있습니다. 어떤 영화를 볼 수 있을까요? ( )

① 블루리버 ② 쥬라기 시대 ③ 세컨드 ④ 대지의 평화

10. 정희는 3D영화를 보고 싶습니다. 어떤 영화를 선택해야 할까요? ( )

① 블루리버 ② 쥬라기 시대 ③ 세컨드 ④ 대지의 평화

11. 중학생인 명화와 진수는 오전 11시부터 오후 3시 사이에 시간이 나서 영화를 보기로 했습니다. 어떤 영화를 보면 될까요? ( )

① 블루리버 ② 쥬라기 시대 ③ 세컨드 ④ 대지의 평화

월 일 요일 확인

이야기 돋보기

내용을 맞게 설명한 문장에 ○ 하세요.

상영관 내 물을 제외한 음료나 음식물의 반입을 금합니다.

① 영화를 보는 곳에 물을 가져가서는 안 된다. (　　)
② 영화관 밖에서 음료수를 먹어서는 안 된다. (　　)
③ 영화를 보는 곳에 물만 가져갈 수 있다. (　　)

본 영화 상영은 정시에 시작하며, 상영 시작 10분 후에는 입장이 제한되니 상영 시작 전에 미리 입장해 주십시오.

① 영화는 10분 늦게 시작된다. (　　)
② 영화가 시작하고 10분이 지나면 들어갈 수 없다. (　　)
③ 영화가 시작되고 10분 후에 들어가야 한다. (　　)

영화 상영 종료 후 불이 켜지면 퇴장해 주십시오.

① 영화가 끝난 후 불이 켜지면 영화관 밖으로 나가라. (　　)
② 영화가 끝나면 바로 밖으로 나가라. (　　)
③ 불이 켜지면 영화가 시작된다. (　　)

'18세 이상 관람가'는 보호자 동의에 관계없이, 영유아를 포함한 18세 미만 고객의 입장이 불가합니다.

① 어린이도 보호자가 허락하면 '18세 이상 관람가' 영화를 볼 수 있다. (　　)
② 보호자가 허락해도 17세까지는 못 본다. (　　)
③ 유치원생은 보호자가 데리고 들어가도 된다. (　　)

이야기 돋보기

월 일 요일 확인

다음 글을 읽고 알맞은 답을 고르거나 쓰세요.

<관람 시 유의사항>

1. 상영관 내 물을 제외한 음료나 음식물의 반입을 금합니다.
2. 본 영화 상영은 정시에 시작하며, 상영 시작 10분 후에는 입장이 제한되니 상영시작 전에 미리 입장해 주십시오.
3. 영화 상영 종료 후 불이 켜지면 퇴장해 주십시오.
4. '18세 이상 관람가'는 보호자 동의에 관계없이, 영유아를 포함한 18세 미만 고객의 입장이 불가합니다.

1\. 무엇을 안내하는 글인가요? ______________________

2\. 다음 중 상영관에 가지고 들어갈 수 있는 것은 무엇인가요? (　　　)

① 주스　② 햄버거　③ 물　④ 팝콘

3\. 3시 10분에 시작하는 영화표를 가진 사람 중 들어갈 수 <u>없는</u> 사람은 누구인가요? ········ (　　　)

① 3시 10분에 들어가려는 사람　② 3시에 들어가려는 사람
③ 2시 50분에 들어가려는 사람　④ 3시 30분에 들어가려는 사람

4\. 영화를 본 뒤 언제 영화관에서 나와야 하나요? ········ (　　　)

① 영화가 끝나자마자　② 불이 켜지면
③ 음악이 나오면　④ 안내방송이 나오면

월 일 요일 확인

낱말 창고

알맞은 낱말을 <보기>에서 골라 문장을 채워 써 보세요.

1. 올림픽 선수단이 운동장에 [   ] 하겠습니다.
2. 현장학습을 가려면 부모님의 [   ] 를 받아오세요.
3. 공연이 [   ] 에 시작되니 서둘러 주세요.
4. 이 영화는 12세 이상 [   ] 이니 우리도 볼 수 있다.
5. 이제 수업시간이 끝났으니 컴퓨터 사용을 [   ] 하세요.
6. 축구선수가 반칙을 해서 경기 중에 [   ] 당했다.
7. 백화점에서 [   ] 들에게 선물을 나눠 주었다.
8. 이 영화의 [   ] 은 우리 집 근처에 없다.
9. 외국에서 사 온 생과일은 공항에서 국내 [   ] 이 되지 않는다.
10. 이 놀이기구는 나이 [   ] 이 있어서 못 탔다.

<보기>	상영관	반입	정시	제한	입장	퇴장
	종료	관람가	동의	고객	미만	불가

낱말 창고

월 일 요일 확인

'미만'과 '초과'를 알아보고, 알맞은 답을 고르세요.

미만 → 어떤 수보다 작은

예) 35미만인 수 : 34, 33, 32, 31……

초과 → 어떤 수보다 큰

예) 24초과인 수 : 25, 26, 27, 28……

1. 주영이 몸무게는 35kg이고 키는 120cm입니다. 주영이가 탈 수 있는 놀이기구를 고르세요. (,)

① **<날아라 우주선>**
탑승인원 20명
몸무게 40kg 초과는
탈 수 없음

② **<바이킹>**
탑승인원 30명
키 110cm 미만은
탈 수 없음

③ **<회전목마>**
탑승인원 40명
몸무게 30kg 초과는
탈 수 없음

④ **<청룡열차>**
탑승인원 50명
키 130cm 미만은
탈 수 없음

2. 아래 기준에 따라 입장할 수 있는 사람은 모두 ○ 하세요.

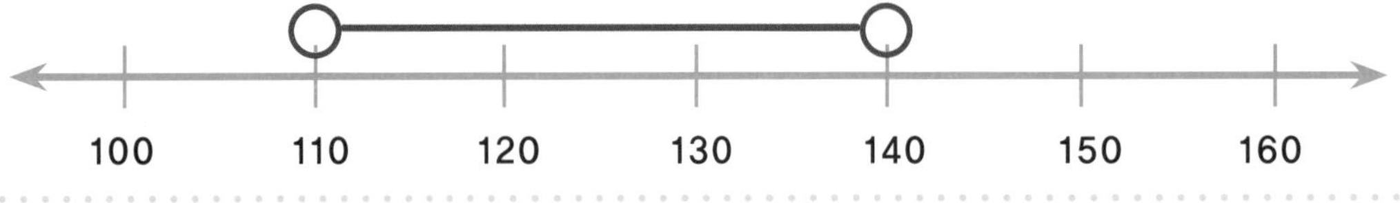

자동차 경주장 입장 기준: 키 110cm초과 140cm미만

① 성주(키 120cm) ② 아정(키 150cm)
③ 정석(키 110cm) ④ 은아(키 130cm)

박물관 안내문 읽기

글마중

국립중앙박물관

※ 관람 안내

<table>
<tr><th colspan="2">관람 시간 및 관람료</th></tr>
<tr><td>관람 시간</td><td>*화, 목, 금요일 09:00~18:00
*수, 토요일 09:00~21:00
*일요일, 공휴일 09:00~19:00(단, 1월 1일은 휴관)</td></tr>
<tr><td>야간 개장</td><td>*매주 수, 토요일 18:00~21:00(3시간 연장)
단, 어린이박물관은 매월 마지막 주 수요일만 야간 개장</td></tr>
<tr><td>관람료</td><td>*무료: 상설전시관, 어린이박물관
상설전시관은 관람권 없이 바로 입장합니다.
어린이박물관 관람권 받는 곳: 어린이박물관 입구 안내데스크
관람권 발급 시간: 관람 종료 1시간 전까지
*유료: 특별 전시
관람권 구입하는 곳: 매표소
관람권 발급 시간: 관람 종료 1시간 전까지</td></tr>
</table>

※ 전시 해설 안내

<table>
<tr><th>해설 코스</th><th>모이는 곳</th><th colspan="2">해설 시간</th></tr>
<tr><td rowspan="3">전관 해설
(대표 소장품)</td><td rowspan="3">상설전시관 으뜸홀
안내데스크</td><td>오전</td><td>1회 10:30~11:30
2회 11:30~12:30</td></tr>
<tr><td>오후</td><td>3회 14:30~15:30
4회 15:30~16:30</td></tr>
<tr><td>야간(수)</td><td>19:00~20:00</td></tr>
</table>

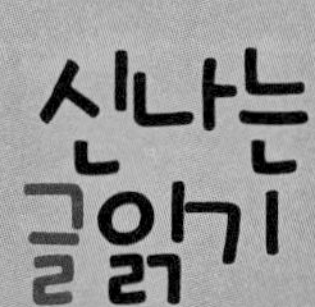

월 일 요일 확인

글마중에 있는 밑줄 친 낱말 중에서 골라 낱말퍼즐을 풀어 보세요.

①	② 전					③	
			④ 야				
	⑤						
					⑥ 공		
		⑦			⑧		
	⑨						

※ **퍼즐** 정답은 173쪽에 있습니다.

〈가로 열쇠〉	〈세로 열쇠〉
① 밤 12시부터 낮 12시까지의 시간 ③ 들어가는 곳 ④ 해가 진 뒤에도 운동 경기장, 전시장 등의 시설을 운영함 ⑤ 연극이나 영화, 운동 경기, 미술품 따위를 보며 즐김 ⑧ 전시관을 쉼 ⑨ 내용이나 의미를 알기 쉽게 설명함	② 유물, 작품 등을 전시하는 곳 ③ 안으로 들어감 ⑥ 국경일, 일요일과 같이 나라에서 정한 휴일 ⑦ 언제든지 이용할 수 있도록 항상 마련해 둠

월 일 요일 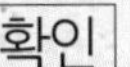

 **다음 글을 읽고 알맞은 답을 고르거나 쓰세요.**

국립중앙박물관

※ 관람 안내

관람 시간 및 관람료

관람 시간	∗화, 목, 금요일 09:00~18:00 ∗수, 토요일 09:00~21:00 ∗일요일, 공휴일 09:00~19:00 (단, 1월 1일은 휴관)
야간 개장	∗매주 수, 토요일 18:00~21:00(3시간 연장) 단, 어린이박물관은 매월 마지막 주 수요일만 야간 개장
관람료	∗무료: 상설전시관, 어린이박물관 상설전시관은 관람권 없이 바로 입장합니다. 어린이박물관 관람권 받는 곳: 어린이박물관 입구 안내데스크 관람권 발급 시간: 관람 종료 1시간 전까지 ∗유료: 특별 전시 관람권 구입하는 곳: 매표소 관람권 발급 시간: 관람 종료 1시간 전까지

1. 무엇을 안내하는 글인가요?

____

이야기 돋보기

월 일 요일 확인

2. 어린이박물관 관람에 대한 설명 중 틀린 것은 무엇인가요? ( )

① 무료로 관람할 수 있다.
② 안내데스크에서 관람권을 받아서 입장한다.
③ 토요일에는 야간 개장을 하므로 밤 9시까지 관람할 수 있다.
④ 매월 마지막 주 수요일만 야간 개장을 한다.

3. 다음 중 유료로 관람해야 하는 곳은 어디인가요? ( )

① 상설전시관
② 어린이박물관
③ 특별 전시
④ 어린이박물관 야간 개장

4. 관람 시간 안내 내용이 틀린 것은 무엇인가요? ( )

① 매주 월요일은 휴관일이다.
② 1월 1일은 휴관일이다.
③ 일요일은 금요일보다 1시간 일찍 끝난다.
④ 수요일, 토요일은 야간 개장을 한다.

5. 다음을 읽어보고 맞으면 ○, 틀리면 X 하세요.

어린이박물관은 매월 마지막 주 수요일만 야간 개장한다.	
상설전시관은 관람권이 있어야 입장할 수 있다.	
관람권은 관람 종료 30분 전까지 발급한다.	
특별 전시는 관람권을 구입해야 입장할 수 있다.	
관람객의 편의를 위해 수요일, 토요일에는 야간 개장을 한다.	
일요일과 공휴일도 관람할 수 있다.	

월 일 요일 확인

다음 글을 읽고 알맞은 답을 고르거나 쓰세요.

※ 전시 해설 안내

해설 코스	모이는 곳	해설 시간	
전관 해설 (대표 소장품)	상설전시관 으뜸홀 안내데스크	**오전**	1회 10:30~11:30 2회 11:30~12:30
		오후	3회 14:30~15:30 4회 15:30~16:30
		야간(수)	19:00~20:00

1. 상설전시관 해설을 들으려면 어디로 가야 하나요?

____

2. 야간에 전시 해설을 들으려면 무슨 요일에 와야 하나요?

________ 요일

3. 다음을 읽어보고 맞으면 ○, 틀리면 X 하세요.

수요일이 아닌 날에는 오전, 오후 두 번씩 총 4회 해설을 한다.	
전시 해설 시간은 2시간이다.	
수요일과 토요일에는 야간에도 전시 해설을 한다.	
전시 해설은 대표 소장품에 대한 해설이다.	

낱말 창고

월 일 요일 확인

'상설'과 '특별'을 알아보고, 빈칸에 알맞은 답을 쓰세요.

상설 → 언제든지 이용할 수 있도록 항상 마련하여 둠

예) 상설 할인 매장, 우리 동네에 상설 전시관이 생겼다.

특별 → 일반적인 것과 아주 다름

예) 특별 대책, 막내는 집안에서 늘 특별 대우를 받는다.

1. 여태까지 보지 못했던 'EXO(엑소)'의 [ ] 공연이 있었다.

2. 매주 주말에 안성에 가면 남사당 [ ] 공연을 볼 수 있다.

'야간'과 '주간'을 알아보고, 빈칸에 알맞은 답을 쓰세요.

야간 → 해가 진 뒤부터 날이 밝아지기 전까지의 동안

예) 동대문 시장은 야간에도 상인과 고객들로 붐빈다.

주간 → 낮 동안

예) 은행이나 우체국은 대개 주간에만 업무를 한다.

1. 야간보다 [ ]에 공부하는 것이 효과가 좋다.

2. 밤에 [ ] 열차를 타고 겨울 바다를 보러 갔다.

월 일 요일 확인

낱말 창고

'유료'와 '무료'를 알아보고, 빈칸에 알맞은 답을 쓰세요.

유료 → 요금을 내야 함 예) 유료 주차장, 그 박물관은 유료 입장이다.

무료 → 요금을 내지 않음 예) 무료 강습, 무료로 나누어주다.

1. 가입자는 누구나 이 정보를 [ ] 로 이용할 수 있다.

2. 놀이공원에는 돈을 받고 물건을 맡아주는 [ ] 보관소가 있다.

'국립', '공립', '사립'을 알아보고, 빈칸에 알맞은 답을 쓰세요.

국립 → 국가에서 만들어 운영하는 시설

예) 그곳은 나라에서 운영하는 국립 병원이다.

공립 → 지방 자치 단체가 설립하여 유지하는 시설

예) 우리 학교는 공립 초등학교이다.

사립 → 개인 돈으로 만들어서 운영하는 시설

예) 나는 사립 유치원을 다녔다.

1. 북한산 [ ] 공원 관리소에서는 야생 동물 먹이통을 비치했다.

2. 내 동생은 우리 아파트 단지에 있는 [ ] 유치원에 다닌다.

3. 우리 시에는 [ ] 도서관이 7개 있다고 한다.

뽐내기

월 일 요일 확인

국립중앙박물관 홈페이지에서 특별 전시를 찾아 사진이나 포스터를 붙이고 내용을 자세히 써 보세요.

1. 특별 전시 제목은 무엇인가요?

___

2. 전시 기간은 언제인가요?

___

3. 전시 장소는 어디인가요?

___

4. 관람 요금은 얼마인가요?

___

관광지 안내문 읽기

글마중

설악산 국립공원

〈공원 안내〉

- 면적: 398.237㎢
- 최고봉: 대청봉(1,708m)
- 우리나라 제일의 암석 지형의 경관미를 갖춘 국립공원
- 서쪽은 내설악, 동쪽은 외설악, 남쪽은 남설악으로 부름
- 주요 경관: 구곡담 계곡, 십이선녀탕, 천불동 계곡, 울산바위, 권금성, 금강굴, 비룡폭포, 비선대 등
- 주요 사찰: 신흥사, 백담사
- 산양, 반달가슴곰 등 천연기념물을 비롯한 희귀 동식물 서식

〈탐방 안내도〉

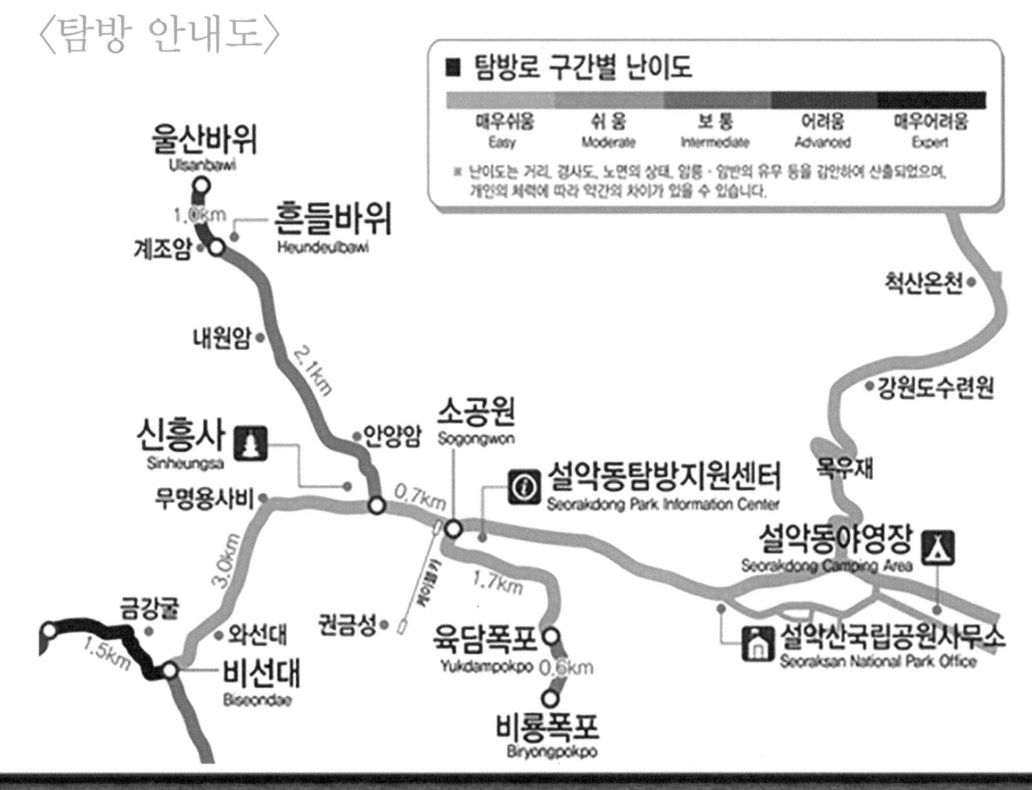

신나는 글읽기

월 일 요일 확인

설악산의 전설에 대해 알아봅시다.

 울산바위	옛날 울산을 대표하는 바위가 금강산으로 가다가 설악의 풍경에 반해 눌러앉아 버렸다는 재미있는 전설이 있어요.
 비선대	'마고'라는 신선이 이곳에서 하늘로 올라갔다고 해서 비선대라고 부른대요.
 권금성	고려시대 몽고의 침입 때 권씨와 김씨 두 장사가 가족들을 산으로 피신시키고, 적들과 싸우기 위해 하룻밤 만에 성을 쌓았다고 해서 권금성(權金城)이라고 했대요.
 신흥사	신라 진덕여왕 때 자장율사가 세워 처음에는 '향성사'라 불렀어요. 그 후 여러 차례 불에 탄 것을 조선 인조 때 세 스님이 똑같은 꿈을 꿔 지금의 자리에 절을 세우고 신흥사라 했대요. 이 절에는 1400년 된 범종이 있답니다.

월 일 요일 확인

신나는 글읽기

 흔들바위	흔들바위는 한 사람의 힘으로 움직일 수 있지만 100명이 밀어도 한 사람이 민 것과 같이 흔들릴 뿐이라 하여 붙여진 이름이랍니다.
 비룡폭포	폭포수 속에 사는 용에게 처녀를 바쳐 하늘로 올려 보냄으로써 심한 가뭄을 면하였다고 해서 비룡폭포라 불렀다고 해요.

앞에 나온 설악산의 명소를 탐방 안내도에서 찾아 ○ 하세요.

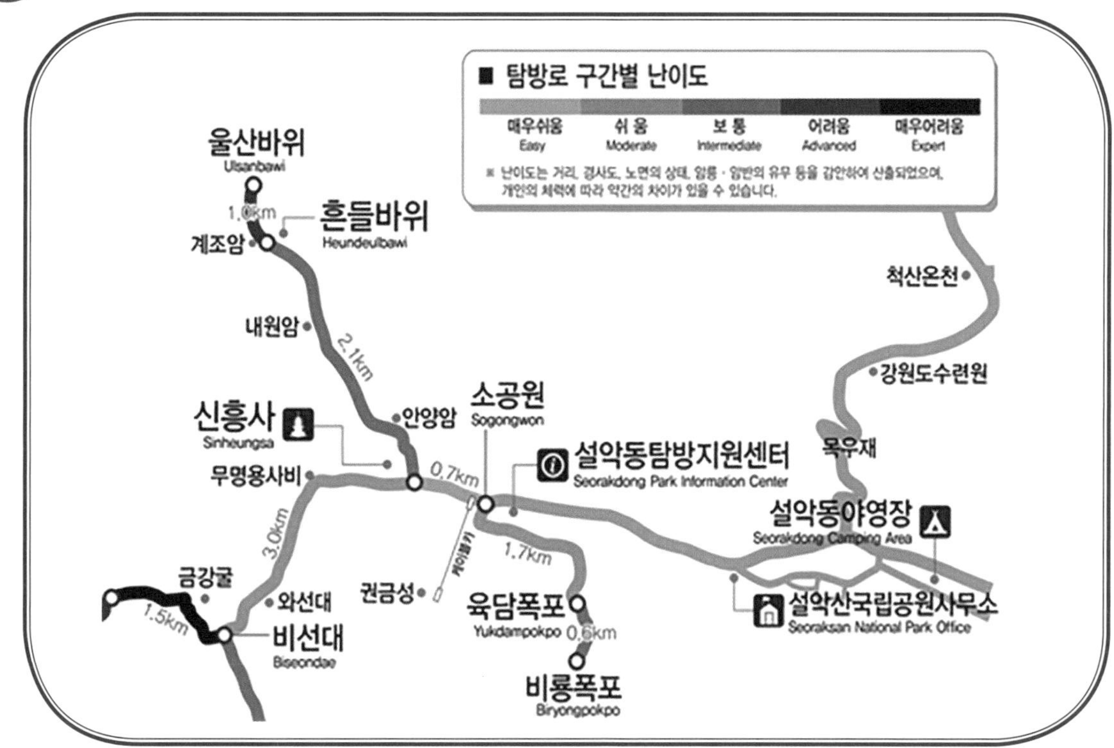

월 일 요일 확인

다음 글을 읽고 알맞은 답을 고르거나 쓰세요.

〈설악산 국립공원 안내〉

- 면적: 398.237㎢ • 최고봉: 대청봉(1,708m)
- 우리나라 제일의 암석 지형의 경관미를 갖춘 국립공원
- 서쪽은 내설악, 동쪽은 외설악, 남쪽은 남설악으로 부름
- 주요 경관: 구곡담 계곡, 십이선녀탕, 천불동 계곡, 울산바위, 권금성, 금강굴, 비룡폭포, 비선대 등
- 주요 사찰: 신흥사, 백담사
- 산양, 반달가슴곰 등 천연기념물을 비롯한 희귀 동식물 서식

1. 무엇을 안내하는 글인가요?

____

2. 설악산 국립공원 안내에 대한 설명 중 <u>틀린</u> 것은 무엇인가요? ( )

① 설악산의 최고봉은 천왕봉이다.
② 설악산에는 산양, 반달가슴곰 등 희귀 동물이 서식하고 있다.
③ 주요 사찰로는 신흥사, 백담사가 있다.
④ 설악산은 암석 지형의 경관미를 갖춘 국립공원이다.

3. 설악산 국립공원에 있는 주요 경관 중 3가지를 써 보세요.

____

월 일 요일 확인

뽐내기

설악산국립공원 홈페이지에 가면 여러 탐방 코스가 있습니다. 이 중 울산바위 코스 탐방 계획을 세워 보세요.

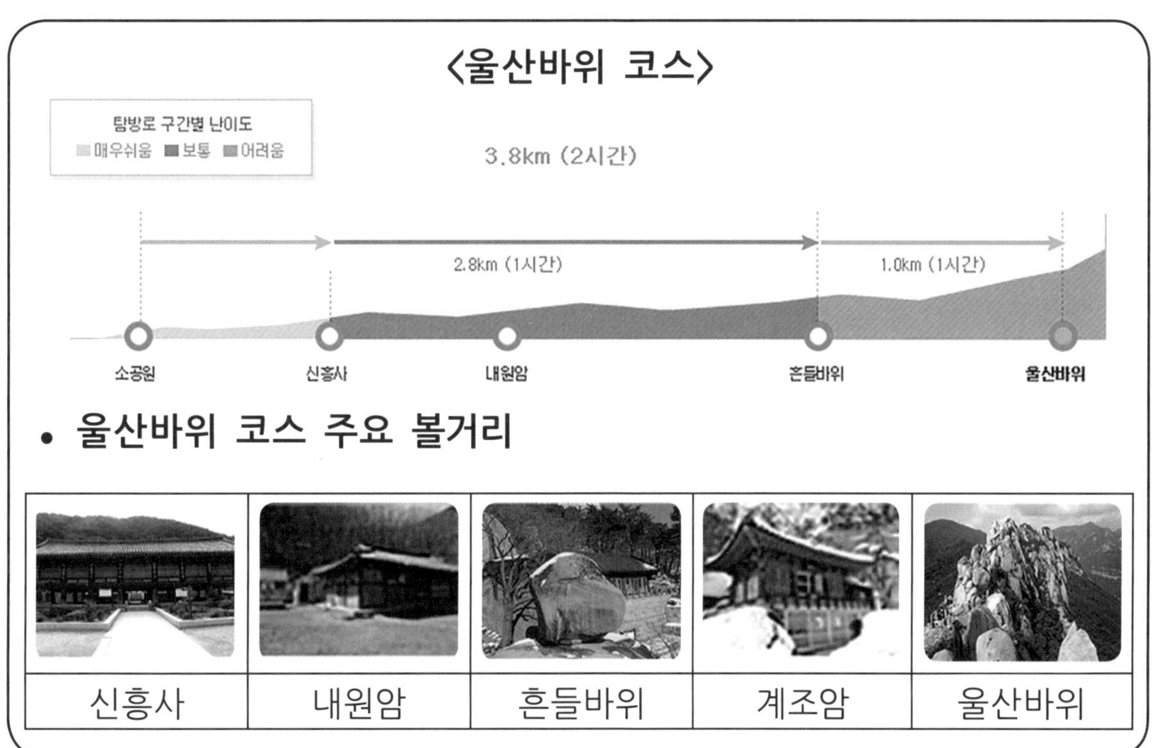

1. 울산바위 코스의 상세 구간을 적어 보세요.

소공원 ⇨ ____________________

2. 거리와 소요 시간, 탐방로 구간별 난이도를 적어 보세요.

＊ 거리 : ____________ ＊ 소요 시간 : ____________

＊ 탐방로 구간별 난이도 : 매우 쉬움 ⟶ ____________

3. 울산바위 코스의 주요 볼거리 3가지를 적어 보세요.

__________, __________, __________

글마중

입장료 안내문 읽기

설악산 소공원 문화재구역 입장료

구분	어른	중·고등학생	초등학생
	20세~65세	14세~19세	8세~13세
개인	3,500원	1,000원	500원
단체(30인 이상)	3,200원		

◈ 무료 입장

- 경로: 66세 이상(만65세 이상)
  신분증 제시한 분에 한하여 무료 입장
- 국가유공자, 복지카드(장애인 카드), 속초시민
  신분증 제시한 분에 한하여 무료 입장

◈ 단체 할인(30인 이상 어른만 적용)

- 어른에 한하여 30인 이상이 동시에 입장 시 단체 할인

케이블카 요금표

구분	왕복	비고
대인	9,000원	중학생 이상
소인	6,000원	37개월~초등생(36개월 이하 무임)

1. 탑승 시간 지난 후 환불 및 시간 변경 시 20% 감액
2. 당일 시간 예약 가능함(전화 예약은 안 됨)

월 일 요일 확인

신나는 글읽기

글마중의 밑줄 친 낱말 중에서 알맞은 것을 골라 쓰세요.

국가유공자	국가를 위해 큰 일을 했거나 희생된 사람으로서 법으로 선정한 사람
	노인을 공경함
	옛사람이 남긴 것 가운데 훌륭하고 귀한 물건, 집, 기술, 능력 같은 것
	이미 지불한 요금을 되돌려 줌
	액수를 줄임

1. 할아버지는 한국전쟁에서 전사하신 [　　　　] 이다.

2. 경주에 가면 신라 시대 [　　　　] 를 많이 볼 수 있다.

3. 할아버지, 할머니를 위한 [　　　　] 잔치가 열렸다.

4. 버스가 늦어지는 바람에 손님들은 [　　　　] 을 요구하였다.

5. 어린이는 버스비를 반값으로 [　　　　] 해 준다.

이야기 돋보기

월 일 요일 확인

다음 글을 읽고 알맞은 답을 고르거나 쓰세요.

〈설악산 소공원 문화재구역 입장료〉

구분	어른	중·고등학생	초등학생
	20세~65세	14세~19세	8세~13세
개인	3,500원	1,000원	500원
단체(30인 이상)	3,200원		

◈ 무료 입장

• 경로: 66세 이상(만65세 이상)
신분증 제시한 분에 한하여 무료 입장

• 국가유공자, 복지카드(장애인 카드), 속초시민
신분증 제시한 분에 한하여 무료 입장

◈ 단체 할인(30인 이상 어른만 적용)

• 어른에 한하여 30인 이상이 동시에 입장 시 단체 할인

1. 무엇을 안내하는 글인가요? ______________________

2. 다음 중 무료로 입장할 수 없는 사람은 누구인가요? … (   )

① 신분증이 없는 속초 시민 ② 유치원생

③ 복지카드를 소지한 장애인 ④ 만 65세 이상 할아버지

3. 우리 가족은 45세인 아버지, 42세인 어머니, 초등학생인 나와 중학생 누나입니다. 우리 가족이 입장하려고 하면 얼마를 내야 할까요?

______________________ 원

월 일 요일 확인

다음 글을 읽고 알맞은 답을 고르거나 쓰세요.

〈케이블카 요금표〉

구분	왕복	비고
대인	9,000원	중학생 이상
소인	6,000원	37개월~초등생(36개월 이하 무임)

1. 탑승 시간 지난 후 환불 및 시간 변경 시 20% 감액
2. 당일 시간 예약 가능함(전화 예약은 안 됨)

1. 무엇을 안내하는 글인가요?

____

2. 다음 설명 중 맞으면 ○, 틀리면 X 하세요.

케이블카 요금은 갈 때와 올 때 따로 받는다.	
탑승 시간이 지나면 20% 깎인 돈을 돌려받는다.	
36개월 이하는 소인 요금을 내고 케이블카를 탄다.	
케이블카를 이용하면 문화재 관람료를 내지 않아도 된다.	
중학생은 대인 요금 9,000원을 낸다.	
만 65세 이상 노인은 케이블카를 무료로 탄다.	
케이블카 타는 날에 전화로 예약하면 된다.	

낱말 창고

월 일 요일 확인

'편도'와 '왕복'을 알아보고, 빈칸에 알맞은 답을 쓰세요.

편도 → 가거나 오는 길 가운데 어느 한쪽

예) 미국까지 가는 편도 비행기 요금을 알아보아라.

왕복 → 어떤 곳을 갔다가 돌아옴

예) 여기에서 종로까지 왕복으로 두 시간이 걸렸다.

1. 학교와 집 사이를 [ ] 하는 데 두 시간이 넘어 고민이다.
2. 돌아오는 표가 없어서 기차표를 [ ] 로 끊었다.

'대인'과 '소인'을 알아보고, 빈칸에 알맞은 답을 쓰세요.

대인 → 보통 만 20세 이상의 어른

예) 요금은 대인과 소인 요금이 있다.

소인 → 나이가 어린 사람

예) 13세 이하 소인의 입장료는 대인의 반액이다.

1. 초등학생은 [ ] 할인을 받을 수 있다.
2. 중학생만 되어도 몸집이 어른처럼 커서 목욕탕에서 [ ] 요금을 받는다.

월 일 요일 확인

읽을 때와 쓸 때가 달라요.

뒷글자의 첫소리가 ㄱ, ㄷ, ㅂ, ㅅ, ㅈ일 때 읽으면 된소리 ㄲ, ㄸ, ㅃ, ㅆ, ㅉ으로 바뀌어요.

읽을 때	쓸 때
김빱	김밥

바르게 쓴 낱말을 골라 ○ 하세요.

	숲에 (발짜국 / 발자국)이 나 있다.
	책상 위에 (열쇠 / 열쐬)가 있다.
	축구 (골대 / 골때)에 공이 들어갔다.
	내 꿈은 (과학자 / 과학짜)가 되는 거다.
	현아 (입술 / 입쑬)이 빨갛다.
	(숙쩨 / 숙제)를 다 못했다.
	파란 (깃발 / 깃빨)이 나부낀다.

우리말 약속

월　　일　　요일 확인

그림을 보고 선생님이 부르는 문장을 써 보세요.

	1. 엄마가 저녁에 ____________________
	2. 아빠가 공부를 ____________________
	3. 방학이 ____________________
	4. 부엌에 있는 ____________________
	5. 맛있는 ____________________
	6. 네 ____________________
	7. 문구점에서 ____________________
	8. 사진을 ____________________
	9. 엄마가 ____________________
	10. 오늘 ____________________

1. 엄마가 저녁에 삼겹살을 구워 주셨다. 2. 아빠가 공부를 열심히 하라고 책상을 사 주셨다. 3. 방학이 끝나가니 걱정이 된다. 4. 부엌에 있는 수도꼭지를 틀어 봐라. 5. 맛있는 팥죽을 끓여 주셨다. 6. 네 용돈으로 준비물을 사거라. 7. 문구점에서 색종이를 샀다. 8. 사진을 액자에 끼웠다. 9. 엄마가 주먹밥을 해 주셨다. 10. 오늘 학교에서 운동회를 한다.

월 일 요일 확인

읽을 때와 쓸 때가 달라요.

ㄱ, ㄷ, ㅈ이 ㅎ과 만나면 ㅋ, ㅌ, ㅊ으로 읽어요.

	읽을 때	쓸 때
문이	다치다	닫히다

바르게 쓴 낱말을 골라 ○ 하세요.

	늦잠을 자서 (급하게 / 그파게) 왔어.
	사과가 (빨가케 / 빨갛게) 익었다.
	내가 좋아하는 (식혜 / 시켸)를 받았다.
	(그렇게 / 그러케) 어렵니?
	사이가 (조턴 / 좋던) 아이들이었는데…….
	(어떻게 / 어떠케) 하면 좋을까?
	책을 (펴 놓고/ 펴 노코) 잠이 들었다.

우리말 약속

월 일 요일 확인

그림을 보고 선생님이 부르는 문장을 써 보세요.

	1. 지수는 ______
	2. 영희는 ______
	3. 넌 ______
	4. 나에게 물을 ______
	5. 내 생일을 ______
	6. 바람에 ______
	7. 밥을 ______
	8. 민희는 ______
	9. 햇볕이 ______
	10. 뛰다가 ______

1. 지수는 빨갛게 익은 토마토를 땄다. 2. 영희는 밥을 시커멓게 태웠다. 3. 넌 어떻게 그렇게 깊이 자니? 4. 나에게 물을 묻혀서 짜증이 났다. 5. 내 생일을 축하해 주었다. 6. 바람에 창문이 꽝 닫혔다. 7. 밥을 급하게 먹으면 체한다. 8. 민희는 꽃 한 송이를 땄다. 9. 햇볕이 뜨거워 땀이 맺혔다. 10. 뛰다가 친구와 부딪혔다.

월 일 요일 확인

우리말 약속

읽으면 같은 소리가 나지만 뜻은 달라요. 문장을 잘 읽고 알맞은 말을 왼쪽에서 골라 쓰세요.

닫히다 **다치다**	강아지가 다리를 심하게 (　　　　　　　　) 바람에 문이 쾅 (　　　　　　　　)
늘이다 **느리다**	거북이는 걸음이 (　　　　　　　　) 고무줄을 길게 (　　　　　　　　)
걸음 **거름**	할아버지는 (　　　　　　　　)이 느리다. 농부가 밭에 (　　　　　　　　)을 주었다.
마치다 **맞히다**	지은이는 밤늦게 공부를 (　　　　　　　　) 콩주머니를 던져 과녁에 (　　　　　　　　)
반드시 **반듯이**	나는 커서 (　　　　　　　　) 소방관이 될 거다. 글씨를 (　　　　　　　　) 쓰세요.
붙이다 **부치다**	풀로 색종이를 (　　　　　　　　) 엄마가 김치전을 (　　　　　　　　)
빛 **빚** **빗**	하늘에서 밝은 (　　　　)이 비추었다. 머리를 (　　　　)으로 빗어라. 엄마는 나에게 천원의 (　　　　)이 있다.
낱 **낟** **낮** **낫**	이 연필은 (　　　　)개로 팔지 않는다. 잡초를 (　　　　)으로 베었다. (　　　　)에는 맑더니 밤에는 비가 온다. 곡식 (　　　　)알이 흩어져 있었다.

월 일 요일 확인

그림을 보고 선생님이 부르는 문장을 써 보세요.

	1. 내가 ______
	2. 팽이채로 ______
	3. 실험도구 정리를 ______
	4. 빠른 ______
	5. 아이스크림을 ______
	6. 책장에 책을 ______
	7. 아까 ______
	8. 자른 종이를 ______
	9. 교통사고로 ______
	10. 바람에 ______

1. 내가 씨름에서 반드시 이길 거야. 2. 팽이채로 팽이를 맞히면 잘 돌아가. 3. 실험도구 정리를 얼른 마치세요. 4. 빠른 걸음으로 이동하세요. 5. 아이스크림을 낱개로 파세요? 6. 책장에 책을 반듯이 꽂으세요. 7. 아까 낮에 널어놓았던 빨래를 걷어라. 8. 자른 종이를 풀로 붙이세요. 9. 교통사고로 머리를 다쳤다. 10. 바람에 창문이 닫혔다.

낱말 퍼즐 정답

★ 141쪽

① 상	영		④ 종		③ 관	람
영			료		람	
관	⑦ 반	② 입		⑨ 불	가	
	⑤ 퇴	장				

★ 150쪽

① 오	② 전					③ 입	구
	시		④ 야	간	개	장	
	⑤ 관	람					
					⑥ 공		
		⑦ 상			⑧ 휴	일	
	⑨ 해	설			일		

책을 마친
소감을
써 보세요